Ladislav Jiroušek

LEVOČA

KLENOTNICA PAMIATOK NA SPIŠI

V roku 1998 vydala

ISBN 80-967556-2-5

Stredoveké jadro Levoče - mestská pamiatková rezervácia
The medieval centre of Levoča- a Urban National Monument
Mittelalterlicher Stadtkern von Levoča (d. Leutschau)

Písomná správa o Levoči - druhá najstaršia listina z 19. 9. 1249 od uhorského kráľa Belu IV.
A written report about Levoča - the second oldest document issued by the Hungarian king IV, 19 September, 1249
Schriftliche Urkunde über Leutschau - zweitältestes Schriftstück vom 19. 9. 1249 vom ungarischen König Béla IV.

Starobylé mesto Levoča bolo nielen kráľovským mestom, mestom obchodnej križovatky, mestom kultúry a školstva, ale predovšetkým centrom umenia. Mnohí umelci v dreve, v kove, zlate či kameni zanechali tu kus svojho umenia, svojho talentu, ktorý vložili do tejto neživej hmoty, aby ona začala dýchať a hovoriť k človeku každej doby. Túto hovoriacu krásu v sebe skrývajú mnohé budovy, ale predovšetkým chrámy a posvätné miesta, ktoré stredoveký človek postavil a zasvätil Bohu a jeho úcte. Tieto miesta majú človeku každej doby zjavovať znamenia časov a odovzdávať veľké dedičstvo otcov.

In the course of history the ancient town of Levoča was not only a free royal town, a town situated on the cross-roads of long-distance trade roads, a cultural and educational centre but first of all a centre of arts. A lot of artists put their skills and talents into wood, metal, gold or stone in order that this lifeless substance might start to breathe and appeal to a man of each period. This appealing beauty can be found in numerous buildings but predominantly in churches and holy places which were built by the medieval man and dedicated to God and his consideration. These are the places where a man of each period can find signs of previous times and get in touch with the inheritance from his ancestors.

Die Altertümliche Stadt Levoča (deutsch: Leutschau), war nicht nur eine freie Königsstadt, sondern lag an der Kreuzung wichtiger Handelswege, sie war eine Stadt für Kultur und Schulwesen, aber hauptsächlich ein Mittelpunkt der Kunst. Viele Künstler ließen hier Werke ihrer Kunst und ihres Talentes, die sie aus leblosen Material: Holz, Metall, Gold oder Stein schufen; so daß es anfing zu leben und sich den Menschen in jedem Zeitalter mitteilen konnte. Diese sprechende Schönheit versteckt sich in vielen Gebäuden, aber besonders in den Kirchen und den geweihten Orten, welche der Mensch im Mittelalter baute und zur Ehre Gottes weihte. Diese Orte sollen für die Menschen jeder Epoche ein sichtbares Zeichen der Zeit sein und sind als großes Erbe von den Vätern hinterlassen worden.

Poľská brána - gotická brána z 15. storočia, súčasť mestského opevnenia a starého kostola minoritov

The Polish Gatehouse - the Gothic gate from the 15th century is a component of the complex comprising of the town fortifications and the old church of the Minorites

Polnisches Tor - gotisches Tor aus dem 15. Jahrhundert, Bestandteil der Stadtbefestigung und der alten Minoritenkirche

Časť mohutných mestských hradieb z východu nad Menhardskou bránou

A view of the mighty town fortifications - a part of the eastern wall over the Menhard Gate

Teil der mächtigen Stadtbefestigung von Osten über den Menharder Tor

Stará pracháreň - mohutná bašta so sedlovou strechou v severozápadnom mestskom opevnení

Old Gun-Powder Tower, a mighty bastion with a saddle roof, in the north-western walls of the town fortifications

Altes Sprengpulverlager - mächtige Bastei mit einem Satteldach im nordwestlichen Teil der Stadtbefestigung

Je len málo miest na Slovensku, ktoré sa môžu pochváliť nie len bohatou históriou, ale i umeleckými pamiatkami, ktorých hodnota presahuje hranice Slovenska.

Levoča - mesto a miesto, kde sa v stredoveku písali dejiny a v novoveku akoby zastal čas. Čas, vďaka ktorému sa zachovalo stredoveké námestie a množstvo iných umeleckých pamiatok.

Levoča sa nachádza v nadmorskej výške 573 m na úpätí Levočského pohoria.

Archeologické výskumy potvrdili osídlenie už v dobe neolitu. V predhistórii sa tu vystriedalo niekoľko kultúr: volutová, bukovohorská, ľud s kanelovou keramikou (eneolit), lužická, ľud z doby laténskej. Nálezy rímskych mincí zo začiatku nášho letopočtu poukazujú na obchodné styky s Rímom. Výraznejšie slovanské osídlenie bolo už v 9. storočí.

Prvá písomná správa, v ktorej sa vyskytuje názov Levoče "Leucha", je v listine Bellu IV. z roku 1249. 13. storočie je i obdobím nemeckej kolonizácie. Nemeckí kolonizátori sa usadzovali v blízkosti starých slovanských sídiel. Časom osady splynuli. Tak to bolo i v Levoči. Prvý raz sa Levoča ako mesto spomína v kolektívnom privilégiu spišských Sasov, ktoré vydal Štefan V. v roku 1271, a to ako hlavné mesto Spoločenstva spišských Sasov a celého Spiša. Karol Róbert Anjou vymenoval Levoču za svoje kráľovské mesto.

Postupom času mesto získalo celý rad práv, ktoré prispeli k rozvoju mesta i jeho okolia. Medzi najvýznamnejšie práva patrili: mestské práva ako osobná a majetková sloboda, samospráva, právo používať vlastné zákony, právo užívať lesy, lúky, loviť ryby, právo meča atď. a hospodárske a obchodné práva: najvýznamnejšie bolo právo skladu.

K rozvoju mesta prispela i jeho výhodná poloha - Levoča bola križovatkou obchodných ciest vedúcich z Pobaltia cez Krakow na Balkán a ciest z východných krajín na západ a juhozápad - z Turecka a Sedmohradska smerovala jedna cesta do Sliezska a Nemecka a druhá Považím do Rakúska a Talianska.

Začiatkom 15. storočia sa Levoča stala členom Pentapolytany (zväz piatich východoslovenských miest), ktorým panovník Žigmund Luxemburský v roku 1405 potvrdil staré výsady a udelil nové (napr. ríšsky status).

Prvá polovica 15. storočia je poznamenaná pobytom husitov na Spiši i bratríckym hnutím. Ani Levoču neobišiel pustošivý prepad husitov v roku 1431. Dodnes sa nevie, ako mohlo tak dobre opevnené mesto padnúť. Pobyt husitov nepriamo prispel k otvorenej vojne medzi Kežmarkom a Levočou, ktorá trvala viac ako sto rokov. Kežmarok bol pre Levoču dlhodobým súperom v boji o prvenstvo na Spiši. Vojenský konflikt medzi týmito mestami sa skončil až v roku 1558.

Pre Levoču bol významný rok 1494, kedy sa stala na jeden mesiac miestom stretnutia dvoch kráľov - uhorského a českého kráľa Vladislava II. Jagelonského a poľského kráľa Jána Alberta. V sprievode kráľov bol tiež krakovský biskup kardinál Fridrich, braniborský gróf Fridrich ako i vyšší dvorskí hodnostári, baróni, arcibiskupovia a pod. Roku 1497 sa stretli v Levoči opäť dvaja králi: český kráľ Vladislav Jagelonský a jeho brat, poľský kráľ Kazimír, aby spolu rokovali o nástupníctve na uprázdnený uhorský trón. Po niekoľkodňových rokovaniach uzavreli v Levoči medzi sebou mier.

Najvýznamnejším obdobím Levoče v stredoveku bolo 16. storočie. V tomto období malo mesto vysokú hospodársku a kultúrnu úroveň. Zároveň to bolo obdobie pôsobenia takých osobností ako Ján Henckel - známy humanista, Martin Sturm - pisateľ latínskych veršov, Cyprián Moller - autor príležitostných veršov, Štefan Xylander - náboženský spisovateľ.

Nemôžeme nespomenúť ani pôsobenie neskorogotického rezbára Majstra Pavla, dielo ktorého preslávilo nielen Levoču ale i Slovensko.

Dodnes nepoznáme pôvod Majstra Pavla, jeho priezvisko, dátum úmrtia, ani miesto posledného odpočinku. Jeho osoba je zahalená iným tajomstvom.

Majster Pavol žil v Levoči minimálne 30 rokov (od roku 1506 do 1537). Do Levoče prichádza pravdepodobne z Banskej Bystrice. V roku 1506 sa stáva členom bratstva Božieho tela. Neskôr je i členom mestskej rady. Majster Pavol patril medzi bohatých levočských mešťanov. Vlastnil dom na námestí (dnes Námestie Majstra

Pavla č. 20). Bohatstvo mu zabezpečoval obchod s vínom, nie jeho umelecká tvorba. Mal tri dcéry a jedného syna Lukáša. Z archívnych záznamov je známe, že v jeho dome bol 12 týždňov väznený lúpežný rytier.

V roku 1517 dokončil hlavný oltár v kostole sv. Jakuba. O tom, že autorom tohoto oltára je práve on, hovorí len zmienka na epitafe od tunajšieho kamenára, manžela vnučky Majstra Pavla, Martina Uranowitza.

Posledná zmienka o Pavlovi pochádza z roku 1537. V tomto roku Pavlov syn spolu s kamarátom prepadol istého krakovského sluhu na námestí v Levoči, a tak ho zbili, že zomrel. Majster Pavol vyplatil rodičov zabitého sluhu a dohodol sa s nimi, že nebudú prenasledovať jeho syna.

V rok 1542 sa spomína už len vdova po Majstrovi.

Druhá polovica 16. storočia bola pre Levoču poznačená ničivými požiarmi - rok 1550, 1852 a 1599, ktoré značne poškodili mesto a zničili i dôležité historické dokumenty. Na druhej strane požiare prispeli k zmene gotického mesta na renesančné.

17. storočie sa nieslo v znamení protihabsburských povstaní a rekatolizácie, ktoré zasiahli aj Levoču. Vojenské obliehanie a veľký počet vojsk finančne vyčerpali mesto. Obchod takmer zanikol a zostala len remeselná výroba a poľnohospodárstvo.

V roku 1624 začala svoju edičnú činnosť v Levoči Brewerova tlačiareň, ktorá vydala i také práce ako je Orbis pictus od J. A. Komenského či J. Tranovského Citárium sanctorum. Je známe, že sám J. A. Komenský navštívil Levoču v roku 1654. Z hľadiska drevorezby vynikala levočská tlačiareň nad všetky uhorské tlačiarne a jej knihy môžeme po obsahovej stránke zaradiť medzi najvýznamnejšie a najcennejšie na území Uhorska v 17. storočí.

Medzi známe osobnosti Levoče 17. storočia patrí kronikár Gašpar Hain. S jeho menom je spojený dom č. 40 na námestí s krásnymi renesančnými freskami a portálom. Dnes tento dom slúži Spišskému múzeu, ktoré v ňom prezentuje umenie od 14. storočia až po súčasnosť.

18. storočie sa nieslo v znamení postupného, ale pomalého oživenia hospodárskeho života. Avšak mesto už nedosiahlo takú úroveň a nemalo také postavenie ako v predchádzajúcich storočiach.

V 19. storočí má Levoča význam predovšetkým ako administratívne centrum Spiša, sídlo Spišskej župy. V 40-tych rokoch sa stáva vďaka lýceu centrom národného hnutia na východnom Slovensku. Z významných slovenských básnikov a dejateľov tu pôsobili Ján Botto, Janko Kráľ, Ľudovít Kubáni, Pavol Dobšinský, Janko Francisci a ďalší. Evanjelické lýceum bolo v dome č. 40 tzv. Hainov dom.

Z významných maliarov, ktorí pôsobili v tomto období je potrebné spomenúť prvého akademického maliara Spiša Jozefa Czauczika a Jána Rombauera, ktorý portrétoval ruskú cárovnú Katarínu.

20. storočie sa nesie v znamení prinavrátenia zašlej slávy mesta. Avšak i naďalej pretrvávajú nepriaznivé podmienky pre rozvoj mesta. Na príčine sú hospodárske zmeny a zmeny obchodnej cesty. Levoča je mimo hlavnej železničnej trate, ktorá viedla z Košíc do Bohumína. V tomto období sa na Spiši najviac rozvíja mesto Spišská Nová Ves a Poprad. 27. 1. 1945 bolo mesto oslobodené Červenou armádou spod fašistickej nadvlády.

V roku 1950 bola Levoča vyhlásená za mestskú pamiatkovú rezerváciu.

Koniec 20. storočia sa nesie v znamení významných historických podujatí. V roku 1995 Levoču navštívil pápež Ján Pavol II., ktorý celebroval omšu na Mariánskej Hore. 23. - 24. januára 1998 sa v Levoči stretli jedenásti prezidenti stredoeurópskych krajín.

Dúfame, že toto stretnutie prispeje k získaniu zašlej slávy a Levoča získa späť významné postavenie.

Mgr. Jarmila Marcinková

Panoramatický pohľad na Levoču z juhu, v pozadí Mariánska hora
Panoramic view of Levoča from the south, Mariánska hora hill in the background
Panoramaansicht auf Leutschau von Süden, im Hintergrund der Marienberg

Only a few towns in Slovakia can boast of both rich history and a wealth of artistic monuments with value which goes beyond the borders of Slovakia.

Levoča - a town and a place whose history was written in the Middle Ages and in Newer Ages as if time stopped. Due to this, the medieval square and a great number of other artistic monuments have been preserved.

Levoča is located 573 m above sea level at the foothills of Levočské pohorie (Levoča mountains). Settlements from the Neolithic period were proved by archaeological research. In prehistoric times several cultures appeared in this territory: volute, bukovohorska (beech-wood) culture, the people with cannel pottery (Eneolithic), Lusatian culture, the people from Laten period. Finds of Roman coins from the beginning of our era bear testimony of trade contacts with Rome. Distinct Slavonic settlements existed there as early as the 9th century.

The earliest written source about Levoča is from 1249. In the document of Bela IV it is called "Leucha". The 13th century was a century of German colonisation. German colonists settled near old Slavonic settlements. Over the course of time settlements integrated. The process of amalgamation also hit Levoča. Levoča was mentioned as a town for the first time in the Document of Collective Privileges of Spiš Saxons issued by Stephan V in 1271. It is referred to as the capital of the Community of Spiš Saxon and the entire Spiš region. Charles Robert of Anjou proclaimed Levoča his free royal town.

Over time, Levoča was granted a series of rights and due to these Levoča and its surroundings progressed. Among the most important rights which were granted upon Levoča were the following: municipal rights such as personal and property freedom, self-government, the right to have own municipal court- law, the right to use woods, meadows, the right to fish, the right of sword. Among economic and commercial rights of great importance was the right of storage.

The growth of the town was also supported by its advantageous location on important long distance trade routes. One led from the Baltic through Krakow to Balkan and the other one led from eastern countries either to the West: from Turkey and Transylvania to Silesia and Germany or to the South-west: through Považie (along the Váh river) to Austria and Italy.

At the beginning of the 15th century Levoča became a member of Pentapolitana (a union of 5 eastern Slovakia towns). King Sigismond Luxemburg re-confirmed old privileges and bestowed upon the towns some new rights in 1405 (for instance Imperial status).

The first half of the 15th century was affected by the presence of Hussites in the Spiš region and by the Brethrens movement. Levoča did not avoid the devastating attack of Hussite army in 1431. Up to now it is difficult to comprehend how such a thoroughly fortified town could so fall to its enemies' armies. Hussites indirectly caused an open war between Kežmarok and Levoča. The town of Kežmarok was Levoča's permanent rival in the struggle for the leading position in the Spiš region. Armed conflict between these two towns came to an end in 1558.

The year 1494 was significant in the history of Levoča, because for a month the town became a meeting place of two kings: the Czech king Vladislav II Jagellonský and the Polish king Jan Albert. In their suite were also: Krakow bishop cardinal Frederic (Fridrich), Brandenburg count Frederic and other upper courtiers as barons, archbishops etc. In 1497 Levoča met two kings again. This time it was the Czech king Vladislav Jagellonský and his brother, the Polish king Casimir who came to Levoča to discuss the question of who will ascend the empty Hungarian throne. After several days they made their peace.

The 16th century was the most significant period in the history of Levoča during the Middle Ages. The town became a flourishing economic and cultural centre. It was the period when the town became a place of work and the home of such outstanding personalities as Ján Henckel -a well known humanist, Martin Sturm -an author of Latin verses, Cyprián Moller -an author of occasional verses (poetry), Štefan Xylander -a writer of religious literature.

We must mention a late Gothic woodcarver, Master Pavol (Paul), whose work made both Levoča and Slovakia famous. Even nowadays we know nothing about his roots, his surname, date he died and the place where he was buried. His personality remains wraithed in mystery. Master Pavol lived in Levoča for at least 30 years (from 1505 to 1537). Probably he came to Levoča from Banská Bystrica. In 1506 he became a member of Corpus Christi Brotherhood, later a member of the municipal council. He ranked among wealthy Levoča citizens. He owned a house in the square (present -day number 20, Square of Master Pavol). His wealth came from his trade activities with wine, not from his artistic activities. He had three daughters and one son Lucas. Archive materials say that a marauding knight was imprisoned in his house for 12 weeks. In 1517 Master Pavol completed the main altar in church of St. James. Only a mention at the epitaph, made by Martin Urbanowitz, a local stone cutter and husband of Master Pavol's granddaughter, says that the altar is the work of Master Pavol. The last record that speaks about Master Pavol dates back to the year 1537. Pavol's son together with his friend mugged a servant from Krakow in Levoča square and they injured him so badly that he died. Master Pavol paid a considerable sum of money to the parents of the killed servant and they agreed not to persecute Master Pavol's son. In the year 1542 only Master Pavol's widow is mentioned.

In the second half of the 16th century, in 1550, 1582 and 1599, fires ravaged the town and some important historical documents were destroyed, too. On the other hand, fires contributed to the splendid reconstruction: a Gothic town was reconstructed in the Renaissance style.

The 17th century was characterised by anti-Habsburg insurrections and Re-Catholicization efforts.

The town was besieged and numerous armies financially squandered it. It caused the decline of trade activities which almost disappeared. Craft and agricultural production remained dominant.

In 1624 Breuer's printing house located in Levoča generated significant publishing activity including "Orbis Pictus" by J. A. Komenský and "Citarium Sanctorum" by J. Tranovský. There is evidence that J. A. Komenský himself visited the town. The printing house located in Levoča was prominent among all other Hungarian printing houses for its xylography. From the point of view of content, books printed in Levoča also rank among the most outstanding and most valuable books which were published in the territory of Hungary in the 17th century.

Gašpar Hain, the chronicler, belongs to well-known personalities from the 17th century, too. His name is connected with the house No 40 in the main square, where you can find beautiful Renaissance frescoes and the portal. The house has been transformed into a museum (Spiš Museum), where a permanent exhibition presents a collection of art from the 14th century up to the present day.

In the 18th century Levoča gradually strengthened and revived its economic life. But the town never reached the position and economical prosperity of the previous centuries.

In the 19th century Levoča was important as an administrative centre of the Spiš region and the seat of the Spiš county. Thanks to the Evangelical Lycée, Levoča became a centre of the Slovak National Revival in Eastern Slovakia. From all Slovak poets and national revivalists who worked and lived in Levoča should be mentioned Ján Botto, Janko Kráľ, Ľudovít Kubáni, Pavol Dobšinský, Janko Francisci. The Evangelical Lycée was situated in Hain's house No 40.

Among painters who worked in the town were also such outstanding painters as Jozef Czauczik, the first academic painter in the Spiš region and Ján Rombauer, who painted a portrait of the Russian czarina Catherine.

In the 20th century the town managed to win some of its former fame. But the conditions for further development were not favourable. The fact that the town was not joined to the railway from Košice to Bohumín condemned Levoča to be in the shade of the towns of Poprad and Spišská Nová Ves which enjoyed all the advantages of the railway and acquired leading positions in the region. Levoča was liberated from the fascist occupation by the Soviet Red Army on January 27, 1945. In 1950 Levoča was declared a Urban Conservation Area.

During the last decade of the 20th century, some outstanding and unforgettable historical events took place in Levoča. In 1995 Pope John Paul II visited Levoča and celebrated Holy Mass at the church on Mariánska hora. From January 23 to January 24, 1998, the Summit of Presidents from eleven Central European countries was held there. We hope this summit is an important contribution to the effort of the town to win back its former fame and important position.

Mgr. Jarmila Marcinková

Západná časť fortifikačného systému mestského opevnenia, cirkevné gymnázium, kláštor minoritov a Poľská brána so starým kostolom minoritov
The western part of the town fortifications, a church grammar school, Monastery of the Minorites and the Polish Gatehouse with the old church of the Minorites
Der westliche Teil des Festungswerkes der Stadtbefestigung, das kirchlikes Gymnasium, Minoritenkloster und das Polnische Tor mit der alten Minoritenkirche

Menhardská brána, súčasný stav - jedna z troch brán, ktorými sa vstupovalo do mesta
Levoča was accessible through three gates. One of them, the Menhard Gate, in its present state
Das Menharder Tor, gegenwärtiger Zustand - eines von den drei Toren durch welche die Stadt zugänglich war

Horná, dnes Košická brána po rekonštrukcii s vchodom do Košickej ulice
The Upper - Košice Gate after restoration - entrance to Košice Street
Das Obere Tor, heute Kaschauer Tor nach einer Rekonstruktion mit dem Eingang in die Kaschauerstraße

Časť hradobného opevnenia so zachovalou baštou, v minulosti chrániacou Košickú bránu
A part of the town fortifications with a preserved bastion which used to protect the Košice Gate
Teil der Stadtmauer mit erhaltener Bastei, in der Vergangenheit geschützt durch das Kaschauer Tor

Es sind nur wenige Orte in der Slowakei, welche sich nicht nur mit so einer reichen Vergangenheit sondern auch mit künstlerischen Sehenswürdigkeiten deren Wert über die Grenzen der Slowakei reichen, schmücken können.

Levoča (d: Leutschau) - Stadt und Ort, wo im Mittelalter Geschichte geschrieben wurde, präsentiert sich in der Neuzeit, als ob die Zeit stehen geblieben wäre. Eine Zeit, dank welcher sich der mittelalterliche Stadtplatz und viele andere Kunstdenkmäler erhalten haben.

Leutschau liegt 573 m. ü. M. am Fuße des Gebirges Levočské pohorie (d: Leutschauer Gebirge). Archäologische Forschungen bestätigen die Besiedlung schon im Neolithzeitalter. Im Prähistorischen Zeitalter wechselten hier die Linienbandkeramik-, Bükk-, Träger der Badener Kultur (Eneolith), Lausitzerkultur und hier lebte das Volk der Lathenenzeit. Funde von römischen Münzen am Anfang unserer Zeitrechnung beweisen Handelsbeziehungen mit Rom. Ausgeprägte slawische Siedlungen gab es schon im 9. Jahrhundert.

Die erste schriftliche Nachricht, in welcher die Bezeichnung für Leutschau "Leucha" vorkommt, ist in der Urkunde vom König Béla IV. aus dem Jahre 1249 zu finden. Das 13 Jahrhundert ist die Zeit der deutschen Kolonisation. Deutsche Kolonisten siedelten sich in der Nähe von alten Slawischen Siedlungen an. So war es auch in Leutschau. Das erste Mal wird Leutschau in den Gemeinschaftsprivilegien der Zipser Sachsen, welche Stephan V. im Jahre 1271 veröffentlichte, erwähnt und zwar als Hauptstadt der Gemeinschaft der Zipser Sachsen der ganzen Zips. Karl I. Robert aus dem Haus Anjou ernannte Leutschau zu seiner Königsstadt. Im Laufe der Zeit erhielt Leutschau eine ganze Reihe von Rechten, welche zur Entwicklung der Stadt und ihrer Umgebung beitrugen. Zu den bedeutensten gehörten: das Stadtrecht, persönliche Freiheit der Einwohner und des Besitzes, Selbstverwaltungsrecht, das Recht auf eigene Gesetze, das Recht Wälder und Wiesen zu bebauen, den Fischfang auszuüben, das Schwertrecht, Wirtschafts- und Handelsrecht: das wichtigste war das Lagerrecht.

Zum Wachstum der Stadt trug ihre vorteilhafte Lage bei - Leutschau war der Kreuzpunkt der Handelswege aus dem Baltikum über Krakau nach dem Balkan und der Weg aus den Ostländern nach Westen und Südwesten - aus der Türkei und Siebenbürgen führte ein Weg nach Schlesien und Deutschland und ein anderer im Waagtal nach Österreich und Italien.

Anfang des 15 Jahrhunderts wurde Leutschau Mitglied der s. g. "Pentapolytana" (Bund der 5 Ost-slowakischen Städte) welchen der König Sigismund Luxemburger im Jahre 1405 die alten Rechte bestätigte und neue gewährte (z. B. Reichsstatus). Die erste Hälfte des 15 Jahrhundert ist durch den Aufenthalt der Hussiten in der Zips und den Bewegungen der Böhmischen Brüdern gekennzeichnet. Auch Leutschau entging nicht den Verwüstungen des Hussiteneinfalles im Jahre 1431. Bis heute weiß man nicht, wieso eine so stark befestigte Stadt unterliegen konnte.

Der Aufenthalt der Hussiten führte indirekt zum offenen Kampf zwischen der Stadt Kežmarok (d: Käsmark) und Leutschau, welcher mehr als 100 Jahre dauerte. Käsmark war für Leutschau lange Zeit ein Gegner im Kampf um die Vorherrschaft in der Zips. Der Krieg zwischen den Städten endete erst im Jahre 1558.

Für Leutschau war das Jahr 1494 bedeutend, als Ort eines Königstreffen - des ungarischen und tschechischen König Wladislaw II. Jagiellone und dem Polenkönig Johann Albert. Im Gefolge war auch der Krakauer Bischof Kardinal Friedrich, der Brandenburger Graf Friedrich, so wie auch höhere höfische Würdenträger, Barone, Erzbischöfe u. s. w.

Im Jahre 1497 trafen sich in Leutschau wieder zwei Könige, der tschechische König Wladislaw II. Jagiellone und sein Bruder der polnische König Kasimir IV. Jagiellone. Sie verhandelten zusammen über die Nachfolge auf dem verwaisten ungarischen Thron. Nach mehrtägigen Verhandlungen schlossen sie in Leutschau zwischen sich Frieden.

Die bedeutendste Periode für Leutschau war im Mittelalter das 16. Jahrhundert. In diesem Zeitraum stand die Stadt auf einen hohen wirtschaftlichen und kulturellen Niveau. Gleichzeitig war es der Zeitraum in dem Persönlichkeiten wie: Ján Henckel - bekannter Humanist, Martin Sturm - Verfasser lateinischer Verse, Cyprián Moller - Autor von Gelegenheitsversen, Stefan Xylander - konfessioneller Schriftsteller wirkten.

Wir dürfen nicht vergessen das Wirken des spätgotischen Holzschnitzers Meister Paul zu erwähnen. Sein Werk hat nicht nur Leutschau, sondern die ganze Slowakei berühmt gemacht. Bis heute kennen wir die Herkunft Meisters Paul, seinen Nachnamen, sein Sterbedatum und seine letzte Ruhestätte nicht. Seine Person ist von einem Geheimnis umhüllt. Meister Paul lebte in Leutschau mindestens 30 Jahre (1506 - 1537). Nach Leutschau kam er höchstwahrscheinlich aus Banská Bystrica (d: Neusohl). Im Jahre 1506 wird er Mitglied der Bruderschaft des Leibes Christi. Später ist er Mitglied des Stadtrates. Meister Paul gehörte zu den reichen Leutschauer Bürgern. Er besaß ein Haus am Hauptplatz (heute Námestie Majstra Pavla 20 - Meister Paul Platz Nr. 20). Den Reichtum sicherte ihm der Weinhandel, nicht sein künstlerisches Wirken. Er hatte drei Töchter und einen Sohn Lukas. Aus der Archivsammlung ist bekannt, daß in seinen Haus zwölf Wochen ein Raubritter gefangen war. Im Jahre 1517 beendete er den Hauptaltar in der Kirche des Hl. Jakob. Von der tatsache, daß Hersteller des Altars gerade er ist, spricht nur die Erwähnung auf dem Epitaph vom hiesigen Steinmetz, dem Gatten der Enkelin von Meister Paul, Martin Urbanowitz. Die letzte Erwähnung von Meister Paul stammt aus dem Jahre 1537. In diesem Jahr überfiel sein Sohn zusammen mit einem Kameraden einen gewissen Krakauer Diener am Leutschauer Hauptplatz und schlugen ihm zu Tode. Meister Paul zahlte die Eltern das erschlagenen Dieners aus und vereinbarte mit ihnen, daß sie seinen Sohn nicht verfolgen würden.

Im Jahre 1542 wird nur mehr die Witwe des Meisters erwähnt.

In der zweiten Hälfte des 16. Jahrhunderts war Leutschau von vernichtenden Feuersbrunsten betroffen - in den Jahren 1550, 1582 und 1599, durch die Stadt sehr beschädigten und wichtige historische Dokumente zerstört wurden. Anderseits bewirkten die Brände eine Veränderung der gotischen Stadt in eine Renaissancestadt.

Das 17 Jahrhundert trug die Folgen der Aufstände gegen die Habsburger Herrschaft und der Rekatholisierung, die auch Leutschau betroffen haben. Militärische Belagerung und die große Anzahl von Soldaten erschöpften die Finanzen der Stadt. Der Handel brach nahezu zusammen und es blieb nur die handwerkliche Erzeugung und die Landwirtschaft.

Im Jahre 1624 begann ihre Verlagstätigkeit in Leutschau die Brewerbuchdruckerei, welche solche Werke wie Orbis Pictus von J. A. Komenský (Johann Amos Comenius), so wie auch das Citarium Sanktorum von J. Tranovský (J. Tranoscius) herausgab. Es ist bekannt, daß J. A. Comenius im Jahre 1654 selbst Leutschau besuchte.

Vom Standpunkt des Holzschnittes aus, hat die Leutschauer Druckerei alle ungarischen Druckereien übertroffen und ihre Bücher können wir vom Inhalt her, zwischen die berühmtesten und wertvollsten im ganzen ungarischen Gebiet des 17. Jahrhundert, einreihen.

Zu den bekannten Leutschauer Persönlichkeiten im 17. Jahrhundert gehört der Chroniker Kaspar Hain. Sein Name ist mit dem Haus mit den herrlichen Renaissancefresken und Portal, am Hauptplatz Nr. 40, verbunden. Heute dient das Haus dem Zipser Museum, im welchen Kunst vom 14. Jahrhundert bis in die Gegenwart ausgestellt wird.

Das 18. Jahrhundert trug die Zeichen des fortschreitenden, aber langsam belebten wirtschaftlichen Lebens. Die Stadt aber erreichte schon nicht mehr so ein Niveau und so eine Stellung wie in den vergangenen Jahrhunderten.

Im 19. Jahrhundert hat Leutschau besondere Bedeutung als Verwaltungszentrum des Gebietes Spiš (d: Zips), es war der Sitz des Zipser Gaues. In den 40 - iger Jahren wird es dank dem Lyzeum, Mittelpunkt der nationalen Wiedergeburt in der Ostslowakei. Von den berühmten Dichtern und Schriftstellern - wirkten hier: Ján Botto, Janko Kráľ, Ľudovít Kubáni, Pavol Dobšinský, Janko Francisci und andere. Das evangelische Lyzeum war im Haus Nr. 40 im s. g. Hainhaus. Von bedeutenden Malern, welche hier in dieser Zeit wirkten ist als erster der akademische Maler der Zips: Josef Czauczik und Ján Rombauer als Porträtist der russischen Zarin Katharina, zu erwähnen.

Das 20 Jahrhundert trägt das Zeichen der Wiederkehr des vergangenen Ruhmes der Stadt. Jedoch dauern auch weiter die ungünstigen Bedingungen für den Aufschwung der Stadt an. Der Grund sind Wirtschaftliche Änderungen und die Änderung der Handelswege. Leutschau liegt außerhalb der Hauptbahnlinie, welche von Košice (d: Kaschau) nach Bohumín (d: Oderberg) führt. In diesem Zeitraum entfalten sich in der Zips am meisten die Städte Spišská Nová Ves (d: Zipser Neudorf) und Poprad (d: Deutschendorf). Am 27. Jänner 1945 wurde die Stadt von der Roten Armee von der faschistischen Herrschaft befreit. Im Jahr 1950 war Leutschau zur städtischen Denkmalreservation erklärt.

Das Ende des 20. Jahrhunderts steht im Zeichen bedeutender geschichtlicher Veranstaltungen. Im Jahr 1995 besuchte Papst Johannes Paul II. Leutschau, wo er eine Heilige Messe am Berg Mariánska hora (d: Marienberg) zelebrierte. In den Tagen 23. - 24. Jänner 1998 trafen sich in Leutschau elf mitteleuropäische Präsidenten.

Wir hoffen, daß dieses Treffen zur Rückgewinnung des vergangenen Ruhmes beitragt und das Leutschau seine hervorragende Stellung zurückgewinnt.

Mgr. Jarmila Marcinková

Budova na západnej strane námestia zo 14. storočia je známa ako Hainov dom a levočské lýceum, dnes v nej sídli Spišské múzeum
This building from the 14th century, situated in the western part of the square, which is known as Hain's house, housed the Evangelical Lycée.
It has been transformed into a museum
Gebäude im westlichen Teil des Hauptplatzes aus dem 14. Jahrhundert bekannt als das Hain - Haus und das leutschauer Lyzeum,
heute Sitz des Zipsermuseums (Spišské múzeum)

V tomto dome je historicky cenný kamenný renesančný portál z roku 1530 a zhotovili ho v dielni Majstra Pavla

The valuable Renaissance stone portal of this house dates from 1530. It was made in Master Pavol 's workshop in Levoča

In diesem Haus befindet sich ein historisch wertvolles steinernes Renaissanceportal aus dem Jahre 1530. Werk des Meister Paul

112 cm vysoká drevená plastika sv. Márie Magdalény z Danišoviec z roku 1410 od Majstra z Lomničky

This 112 cm tall wooden sculpture of St Mary Magdalene from the village of Danišovce dates from the year 1410. It was made by a Master from Lomnička

Holzplastik der Hl. Maria Magdalena (112 cm) aus Danišovce (d. Densdorf) aus dem Jahr 1410 vom Meister aus Lomnička (d. Kleinlomnitz)

17

Tri patricijské domy - Mariássyho, Krupekov a Spillenbergov z 15. - 16. storočia s bohato zdobenými fasádami

Richly decorated facades of three patrician houses from the 15th -16th centuries: Mariassy's House, Krupek's House and Spillenberg's House

Drei Patrizierhäuser - das Mariassy-, Krupek- und Spillenberghaus aus den 15. bis 16. Jahrhundert mit reich geschmücktem Fassaden

Na Mariássyho dome je neskorogotický portál z roku 1683 bohato profilovaný orientálnym štýlom

A spectacular Late Gothic portal of Mariassy's house. Oriental influence can be seen in its design

Am Haus der Familie Mariassy ist ein spätgotisches Portal aus dem Jahr 1683 reich profiliert im Orientstil

V strede námestia stojí radnica so zvonicou postavenou v roku 1661 - východný pohľad
The Town Hall and belfry (built in 1661) are situated in the middle of the square. A view from the east
In der Mitte des Hauptplatzes ist das Rathaus mit dem Glockenturm erbaut im Jahre 1661 - östliche Ansicht

Der Stadt Alt Wapffen
15 ✠ 50.
CIVITATIS LEVCHAₑ.

Levočský erb pravdepodobne
z 15. storočia obsahuje dvojkríž
podopieraný dvoma levmi, na štíte je
prilba so zlatou korunou a strieborným
dvojkrížom

The coat-of -arms of Levoča, probably
dating back to the 15th century,: a double
cross supported by two lions on either
side of the arms. There is a helmet with
a golden crown and a silver double cross
on the shield

Leutschauer Wappenschild, wahrscheinlich
aus dem 15. Jahrhundert, enthält ein
Doppelkreuz von zwei Löwen gestützt, am
Schild ist ein Helm mit einer goldenen
Krone und silbernen Doppelkreuz

Klietka hanby slúžila na pranierovanie
previnilcov, pochádza zo začiatku
17. storočia

The "Cage of Shame" from the 17th
century was used for publicly disgracing
those who broke the law

Der Pranger diente zum brandmarken der
Schuldner, stammt vom Anfang des
17. Jahrhundert

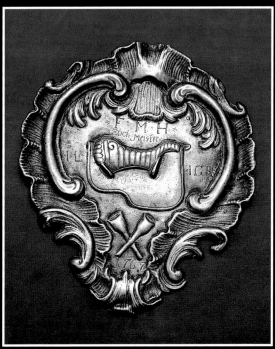

Ukážky levočských majstrov čierneho remesla - ornamentálna kľučka, kľúče do kasňových zámkov, koňské ostrohy a erb sedlárskeho cechu
Works by Levoča blacksmith masters: an ornamental handle, case keys, horse's spurs and the coat of arms of the saddler's guild
Zeugnisse der Leutschauer Meister des schwarzen Handwerkes - ornamentale Türklinge, Schlüssel zu den Kastenschlössern, Pferdesporen und Wappen der Sattlerinnung

Julianna Géciová - Korponaiová alias levočská biela pani
Julianna Géciová - Korponaiová or Levoča's "White Lady"
Julia von Korponai, geb. Ghéczy oder die Weiße Frau aus
Leutschau

Vchod do zasadacej siene radnice s erbom z roku 1549 -
renesančný honosný portál s latinským nápisom "Tak sa
vykonáva súd, tak sa dávajú príklady, keď sudca sám robí
to, na čo iných napomína"
The entrance of the session room in the Town Hall with
a coat of arms from 1549. A splendid Renaissance portal
with the Latin inscription: "In this manner a case is carried
out, thus examples are set to others, when the judge
himself does such deeds for which he sentences
the others."
Eingang in den Sitzungsraum des Rathauses mit dem
Wappen aus dem Jahre 1549 - ein Renaissanceehrenportal
mit lateinischer Aufschrift - "So wird gerichtet, so werden
Beispiele gegeben, wenn der Richter selbst dieses tut,
worüber er andere ermahnt"

Radným pánom slúžila zasadacia sieň s renesančným trámovým stropom
The session room with a joist ceiling served members of the Town Council for their meetings
Den Ratsherren diente der Sitzungssaal mit der Renaissancebalkendecke

Dnešná podoba radnice z južnej strany je z roku 1615 (predtým ju zničilo niekoľko požiarov). Nad arkádami na fasáde sú namaľované alegorické postavy piatich cností: trpezlivosť, udatnosť, opatrnosť, spravodlivosť a striedmosť
The present-day appearance of the southern side of the Town Hall is from 1615 (before 1615 it was destroyed several times by fire). Above the arcades the facade is decorated with the frescoes which symbolise five Virtues: Patience, Bravery, Prudence, Justice and Moderation
Die heutige Gestalt des Rathauses von der Südseite ist aus dem Jahre 1615 (in der Vergangenheit von mehreren feuerbrünsten beschädigt). Über den Arkaden an der Fassade sind allegorische Figuren der fünf Tugenden gemalen: Geduld, Tapferkeit, Klugheit, Gerechtigkeit und Mäßigkeit

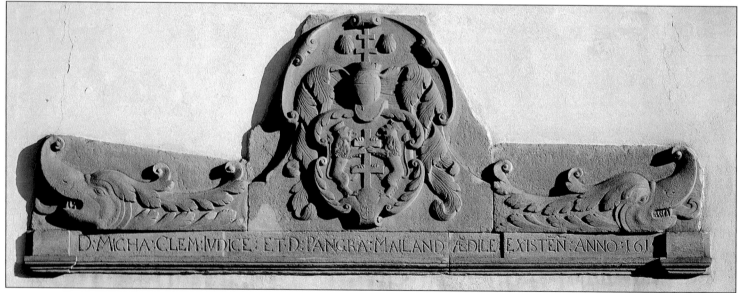

D·MICHA·CLEM·IVDICE·ET·D·PANGRA·MAILAND·ÆDILE·EXISTEN·ANNO·161

Zaujímavé stavebné riešenie arkád radnice zo západnej strany
The impressive arcades of the Town Hall from the western side
Interessante Baulösung der Arkaden des Rathauses von der westlichen Seite

Medzi nimi je umiestnený aj kamenný erb s delfínmi - symbolika obchodu
A stone coat of arms with dolphins - a symbol of trade (the Town Hall)
Zwischen Ihnen ist auch der Steinwappen mit den Delphin en positioniert - Symbol des Handels

26

Pohľad do interiéru evanjelického kostola s oltárnym obrazom od J. Czauczika - Kristus zachraňuje sv. Petra na mori
The view into the interior of the Evangelical church with the altar picture - "Christ saves St. Peter on the sea" by J. Czauczik
Blick in das Innere der evangelischer Kirche mit dem Altarbild vom J. Czauczik - Jesu Christi rettet den Hl. Peter am Meer

27

Veľkú historickú hodnotu má aj drevený barokový organ z roku 1720 zdobený acantovou ornamentikou
This wooden Baroque organ from 1720 is of great historical value
Einen großen historischen Wert hat auch die hölzerne Barockorgel aus dem Jahr 1720 mit Acantusornamente geschmückt

Gymnázium bolo postavené v roku 1913 v secesnom štýle
The Grammar school was built in 1913 in the Art Nouveau style
Das Gymnasium wurde im Jahre 1913 im Jugendstil erbaut

V budove starého kláštora minoritov sa nachádza krížová chodba
s nástennými maľbami z 15. storočia
The Cross Hall with wall paintings from the 15th century in the Old
church and monastery of the Minorites
Im Gebäude des alten Minoritenkloster befindet sich der Kreuzgang mit
Wandmalereien aus dem 15. Jahrhundert

Chodby sú výrazne zaklenuté gotickou klenbou
Gothic vaults of the corridors
Die Gänge sind markant gewölbt durch das gotische Gewölbe

SAKRÁLNE OBJEKTY NA ÚZEMÍ MESTA

Starý kostol a kláštor minoritov

Tento kostol je druhou najväčšou stavbou v meste. O jeho postavenie sa zaslúžila rehoľa minoritov začiatkom 14. storočia. Budova kostola spojená s kláštorom je vsunutá do mestských hradieb pri tzv. Poľskej bráne. Kompletná budova - kostol spolu s kláštorom bola vybudovaná v prvých rokoch 14. storočia. Roku 1308 túto stavbu financoval gróf Ladislav Dank (uvádzaný aj pod menom DONČ), zvolenský župan a sponzor mnohých stavieb zvlášť na Liptove, diplomat v službách kráľa Karola Róberta z Anjou.

Kostol bol postavený v troch etapách. V prvej polovici 14. storočia bola vybudovaná svätyňa, sakristia a priľahlé priestory kláštora. V druhej etape bola zaklenutá svätyňa a začalo sa s výstavbou trojlodia, tretia etapa znamenala dobudovanie trojlodia. Stavba s prestávkami bola dokončená okolo roku 1380.

Kostol až do 16. storočia patril reholi minoritov. V čase reformácie, po roku 1544, ho prevzali evanjelici. Roku 1671 prešiel spolu s kláštorom do vlastníctva rehole jezuitov. Jezuiti ihneď začali so stavebnými úpravami a s výmenou interiérového zariadenia. Celý kostol zariadili barokovými oltármi a iným zariadením. Ako prvý bol v roku 1695 ukončený mohutný hlavný oltár Panny Márie - Kráľovnej anjelov. O rok neskôr pribudla v interiéri baroková kazateľnica, ako aj bočné oltáre sv. Stanislava Kostku a sv. Alojza z Gonzagy. Autormi týchto barokových sôch a oltárov sú predovšetkým levočskí majstri Ferdinand Beichel, Ján Strecius a Juraj Strecius.

Budova kláštora, ktorý je napojený na kostol, je jednou z najkrajších zachovaných kláštorných stavieb stredoveku na území Slovenska. Medzi najobdivovanejšie priestory patrí refektár a krížová chodba.

Budova pôvodne slúžila minoritom ako kláštor, neskôr reholi jezuitov a gymnáziu, ktoré založili na sklonku 17. storočia. Roku 1939 kostol a kláštor dal zreštaurovať na svoje náklady Mons. Ján Vojtaššák, spišský diecézny biskup. V kláštore zriadili internát - malý kňazský seminár pre adeptov kňazstva pod vedením rehole jezuitov.

Po znárodnení štátom v roku 1948 kostol prešiel do majetku a správy farského úradu v Levoči a kláštor do vlastníctva štátu - školskej správy. V tomto období bol v kláštore zriadený internát dievčenskej školy. Po roku 1989 bol kláštor vrátený cirkvi a po nákladnej generálnej oprave v ňom bolo umiestnené novovzniknuté katolícke gymnázium sv. Františka Asisského.

Krásna stredoveká stavba a jednoliata baroková výzdoba celého kostola, ako aj kláštor so svojou krížovou chodbou, zaraďujú túto pamiatku medzi najvýznamnejšie nielen v Levoči, ale na celom Slovensku.

SACRED OBJECTS IN THE TOWN OF LEVOČA

Old Church and Monastery of the Minorites

This church, completed in the beginning of the 14th century, is the second most extensive ecclesiastical building in the town. It is adjoined to a monastery and this entire monastic complex is built into the town wall near so called Polish gate. Construction on the church was initiated by the Order of Minorites, and in 1308 was funded by Count Ladislav Dank (known also as Donč), the head of Zvolen county. Count Donč was a diplomat in the service of King Charles Robert of Anjou, and often sponsored local constructions, predominately in the Liptov region .

Construction on the church was carried out in three stages. In the first half of the 14th century a sanctuary, sacristy, and contiguous monastery promises were built. In the second stage, the sanctuary was vaulted over and work on the three-nave construction began. In the third stage, the three-nave construction was finished. The whole complex was completed around the year 1380.

Until the 16th century the church belonged to the Order of Minorites. During the Reformation it was taken by Evangelics and in 1671 the entire complex was passed to the Order of Jesuits. The Jesuits immediately started reconstruction work and also altered the interior furnishings in the Baroque style and added Baroque altars. The main altar depicting the Virgin Mary, Queen of Angels was the first altar in the church and was completed in 1695. One year later, a Baroque pulpit was added in the interior and in the same year two smaller side altars: the altar of St. Stanislas Kostka and the altar of St. Aloysius of Gonzaga were also added. These altars and statues were made primarily by Levoča masters Ferdinand Beichel, Ján Strecius and Juraj Strecius.

The building of the monastery and contiguous church rank among the nicest medieval monastic buildings preserved in Slovakia. Of its most admirable parts the Refectory and the Cross Hall should be noted.

The building originally served the Minorites as a monastery and later served the Order of the Jesuits, and became also the seat of a grammar school which was established there at the end of the 17th century. In 1939 the church and monastery were reconstructed using the funds of Mons. Ján Vojtaššák, bishop of the Spiš diocese. After restoration, it continued to serve the Order of Jesuits as a lodging house and a small seminary where novices were prepared for priesthood.

After the 1948 nationalisation, the parochial district in Levoča became the owner and administrator of the church, while the monastery became state property and was administrated by the Educational Department of the District Office. During this period the monastery building was transformed into a girls' residence hall. After the year 1989 the monastery church was given back to the Church and after an extensive and costly reconstruction it was adapted to meet the needs of the newly established Church Grammar school of St. Francis of Assisi, which has its seat there.

The beautiful medieval architecture and the Baroque decoration of both the entire church and the Monastery with the Cross Hall make this complex one of the most outstanding monuments in not only Levoča, but also within the entire territory of Slovakia.

SAKRALBAUTEN AUF DEM STADTGEBIET:

Alte Kirche und Minoritenkloster

Diese Kirche ist der zweitgrößte Bau in der Stadt. Um ihren Bau hat sich im 14. Jahrhundert der Minoriten Orden verdient gemacht. Die Kirche verbunden mit dem Kloster ist in die Stadtbefestigungsmauer beim sogenannten Polnischen Tor eingefügt. Der komplette Bau - Kirche zusammen mit dem Kloster wurden in den ersten Jahren des 14. Jahrhundert erbaut. Im Jahre 1308 wurde der Bau vom Grafen Ladislaus Dank (auch unter dem Namen Donč) Gauvorsteher in Zvolen (d: Altsohl) und Spender vieler Gebäude hauptsächlich in der Liptau finanziert. Er war Diplomat in den Diensten des Königs Karl I. Robert von Anjou.

Die Kirche wurde in drei Etappen gebaut. In dem ersten Hälfte des 14. Jahrhundert wurde die Kirche, die Sakristei und angrenzende Räume des Klosters erbaut. In der zweiten Etappe bekam die Kirche das Gewölbe und es begann der Bau des Dreischiffes, die dritte Etappe bedeutet den Fertigbau des Dreischiffes. Der Bau mit dem Umbau war ca. im Jahr 1380 beendet.

Die Kirche gehörte bis ins 16. Jahrhundert dem Minoritenorden. In der Zeit der Reformation, nach dem Jahr 1544, übernahmen sie die Lutheranern. Im Jahr 1671 kam sie zusammen mit dem Kloster in den Besitz des Jesuitenorden. Die Jesuiten fingen gleich mit den Umbauarbeiten und den Austausch der Inneneinrichtungen an. Die ganze Kirche wurde mit Barockaltären und anderer Einrichtung ausgestattet. Als erstes war im Jahr 1695 der mächtige Hauptaltar der Jungfrau Maria - Engelkönigin fertig. Das Jahr später kommt in der Inneneinrichtung die barocke Kanzel hinzu, sowie Seitenaltäre der Heiligen von Stanislav Kostka und des Hl. Alois aus Gonsaga. Die Verfasser dieser barocken Statuen und Altäre waren vor allem die Leutschauer Meister Ferdinand Beichel, Johann Strecius und Georg Strecius.

Das Gebäude des Klosters, welches an die Kirche angeschlossen ist, ist eine von den schönsten erhaltenen Klostergebäuden aus dem Mittelalter auf dem Gebiet der Slowakei. Unter die bewunderten Räumlichkeiten gehören das Refektorium und der Kreuzgang.

Das Gebäude diente anfangs den Minoriten als Kloster, später dem Jesuitenorden und den Gymnasium, welches sie Ende des 17. Jahrhundert gründeten. Im Jahre 1939 lies die Kirche und das Kloster der Zipser Diözesenbischof Mons. Ján Vojtaššák auf seine Kosten restaurieren.

Im Kloster wurde ein Internat eingerichtet - ein kleines Presbiterium für Anwärter auf den Priesterberuf unter der Leitung des Jesuitenordens.

Nach der Verstaatlichung im Jahr 1948 ging die Kirche in dem Besitz und die Verwaltung des Pfarramtes von Leutschau und das Kloster ins Eigentum des Staates über (Schulverwaltung). Zu diesem Zeitpunkt wurde im Kloster ein Internat für die Mädchenschule eingerichtet. Nach dem Jahr 1989 bekam die Kirche das Kloster zurück und nach einer aufwendigen Generalreparatur wurde das neu gegründete katholische Gymnasium des Hl. Franziskus von Assisi eingerichtet.

Der schöne mittelalterliche Bau und die einheitliche barocke Ausschmückung der ganzen Kirche, sowie des Klosters mit seinem Kreuzgang, reiht dieses Denkmal zwischen die wichtigsten nicht nur in Leutschau, sondern in der ganzen Slowakei ein.

Na konci Kláštorskej ulice stojí starý kostol minoritov z prvej polovice 14. storočia
The old church of the Minorites from the first half of the 14th century is situated in Kláštorská Street
Am Ende der Klostergasse (s. Kláštorná ulica) ist die Alte Minoritenkirche aus der ersten Hälfte des 14. Jahrhundert

V kostole je prekrásny barokový interiér - bočné oltáre so sochami jezuitských
svätcov, sv. Ignáca z Loyoly, sv. Fr. Xaverského, sv. Al. Gonzagu a sv. St. Kostku.
The beautiful interior furnishings in the Baroque style include side altars with
sculptures of the Jesuit saints, apostles and Hungarian kings.
Das Innere der Kirche schmückt eine herrliche Barockausschmückung - Seitenaltäre
mit den Statuen heiliger Jesuiten, Aposteln und der ungarischen Könige.

Intarzná výzdoba lavice
A pew with an inlay decoration
Mit Intarsien ausgeschmückte Bank

Hlavná loď kostola v gotickom slohu z roku 1671
The Baroque nave from 1671
Das Hauptschiff der Kirche im Barockstil aus dem Jahr 1671

Barokový je aj mohutný hlavný oltár, ale socha Madony z I. polovice 15. storočia je gotická
The central high altar is in the Baroque style, but its centrepiece - the statue of Madonna from the 15th century,
is in the Gothic style.
Der mächtige Hauptaltar ist auch im Barockstil erbaut, die Statue der Madonna ist aber gotisch aus dem
15. Jahrhundert

Najväčším a najvzácnejším skvostom Levoče je nesporne farský kostol - Chrám sv. Jakuba.

Rímskokatolícky farský kostol sv. Jakuba patrí k najvýznamnejším pamiatkam sakrálneho umenia na Slovensku. Kostol aj jeho interiérové vybavenie je národnou kultúrnou pamiatkou od roku 1965. Najobdivovanejší je hlavný oltár, ktorý je súčasne najvyšším gotickým oltárom na svete a jeho autorom je známy neskorogotický rezbár Majster Pavol z Levoče. Oltár meria 18 metrov a 62 centimetrov. Okrem gotického oltára je národnou pamiatkou aj dielo Jána Szilassyho - monštrancie, kalichy a iné bohoslužobné predmety vyzdobené emailovým a tepaným dekorom, vykladané drahokamami a českými granátmi z druhej polovice 18. storočia. Toto dielo bolo vyhlásené za národnú kultúrnu pamiatku roku 1992.

Levočský chrám sv. Jakuba je unikátnym súborom umeleckohistorických pamiatok najmä z obdobia 15. až 17. storočia.

Kostol je postavený na mieste staršieho kostola, z ktorého sa zachovala časť sakristie z roku 1280. Trojloďová stavba bola postavená do roku 1400 spolu s kaplnkou sv. Juraja zo severnej strany. Severná - vstupná predsieň je z konca 15. storočia a južná, ktorá je mohutnejšie (od levočskej radnice), z rokov 1480 - 1490.

Koncom 15. a začiatkom 16. storočia bol kostol viackrát upravený a opravovaný. V rokoch 1530 - 1550 bola urobená nadstavba severnej predsiene i kaplnky sv. Juraja a vybudovaná knižnica. Po prevzatí kostola protestantmi bolo prerobené niektoré vnútorné zariadenie v renesančnom štýle, v rokoch 1624 - 1631 veľký organ a v roku 1668 bola zabudovaná obuvnícka empora. Roku 1626 bola postavená kazateľnica. Po požiari v roku 1647 boli postavené barokové oltáre a takisto sa realizovala prístavba dvoch kapliniek pri veži (kaplnka sv. Alžbety kráľovnej - krstná kaplnka a kaplnka Narodenia Pána). V rokoch 1825 až 1857 bola postavená nová veža a po požiaroch v rokoch 1859 a 1923 sa uskutočnili opravy a rekonštrukcie väčších rozmerov.

Tento mohutný trojloďový kostol je bohato vyzdobený nástennými maľbami vo svätyni a lodiach pochádzajúcich zo 14. až 17. storočia. Nástenné maľby vyjadrujú výjavy z vierouky i mravouky- vyznanie viery, sedem hlavných hriechov a sedem cností, posledný súd a cyklus mesiacov, portréty apoštolov a starozákonných prorokov, legendu o svätej Dorote, ako aj renesančné maľby svetského charakteru. Okrem nástenných malieb je veľmi dôležité uviesť už spomenutý hlavný oltár sv. Jakuba staršieho, ktorý vyhotovil Majster Pavol z Levoče v rokoch 1508 až 1517. K dielam Majstra Pavla patrí aj oltár Narodenia z roku 1510, umiestnený v zadnej kaplnke na severnej strane kostola, ďalej oltár sv. Jána a oltár sv. Anny - Mettercie, obidva z roku 1520, ako aj socha sv. Juraja z roku 1520. Ďalších 10 oltárov, ktoré tvoria bohatú výzdobu kostola sv. Jakuba vzniklo v rôznych slohových obdobiach - neskorogotickom, renesančnom či barokovom. Z nich najstarší je oltár Vir Dolorum, ktorý vznikol v rokoch 1476 až 1480.

K ďalším vzácnostiam tvoriacim komplex zariadenia a výzdoby tohoto chrámu patrí: veľká skupina Kalvárie, postavená do voľného priestranstva korvínskeho oratória z čias okolo roku 1500 z okruhu W. Stwosza, náhrobné kamene (Juraja Ulambacha, Thurzu), epitafy (Buchwalda, Hirchlera, Urbanoviča, Kollmitza, atď.), stallá z polovice 15. storočia, senátorská gotická lavica datovaná do roku 1494, renesančné kostolné lavice zo 17. storočia, gotická bronzová krstiteľnica umiestnená v zadnej kaplnke južnej lode z konca 14. storočia zdobená reliéfmi, veľké stojanové svietniky z rok 1670, renesančný organ, ktorý začal stavať J. Hummel z Krakowa roku 1615 i voľne stojace kamenné pastofórium (vedľa hlavného oltára) z konca 15. storočia.

V kostole sa nchádza aj vzácna zbierka liturgických predmetov - gotické kalichy, cibóriá, barokové monštrancie od spomínaného majstra šperkového remesla Jána Szilassyho.

Kostol je poznačený zubom času, a preto sa začala generálna oprava exteriéru, aj keď pre nedostatok finančných prostriedkov postupuje veľmi pomaly. Väčšina prác na vonkajšej oprave sa ukutočňuje z vlastných prostriedkov, z príspevkov mesta a grantov zo zahraničia. Hoci ide o trojitú národnú kultúrnu pamiatku, štát sa na oprave nepodieľa. Okrem generálnej opravy exteriéru boli uskutočnené reštaurátorské práce aj na niektorých oltároch a zariadení kostola. Po roku 1989 boli zreštaurované tri oltáre: oltár sv. Mikuláša, sv. Petra a Pavla a snežnej Panny Márie, kazateľnica a momentálne prebiehajú práce na organe.

The largest and most valuable jewel of Levoča is undoubtedly the Church of St. James.

This Roman-Catholic parish church is one of the most splendid representations of sacred art in Slovakia. The exceptional value of the cathedral lies in both its architecture and interior furnishings, and in 1965 it was proclaimed a National Cultural Monument. The most outstanding of the interior furnishings is the main altar, which, at 18m and 62 cm in height, is the highest Gothic altar in the world. The altar is a masterpiece created by the late Gothic woodcarver Master Pavol of Levoča. The church also possesses a precious collection of liturgical objects executed by master-jeweller Ján Szilassy. This collection was proclaimed a National Cultural Monument in 1992. It includes Baroque monstrances, Gothic chalices, ciboria, and other liturgical objects from the second half of the 18th century, all decorated with enamel and beaten ornaments, and garnished with jewels and Bohemian rubies.

St. James' church in Levoča is a unique assemblage of art-historical monuments from predominantly the 15th to 17th centuries. It was built on the site of an older church, from which a part of the sacristy, dating back to 1280, has been preserved. The three-nave church was built around the year 1400, as was the chapel of St. George, which is located on the northern side. The northern antechapel dates back to the end of the 15th century and the southern, larger one (from the side of the townhall) is from the years 1480 to 1490.

At the end of the 15th century and beginning of the 16th century the church was modified and restored several times. In the years 1530-1550 an extension was added to the northern antechapel and St.George's chapel, including a library. After the Protestants took possession of the church some interior furnishings were modified to the Renaissance style, including a big organ altered in 1624 - 1631. In 1668 a shoemaker gallery was built in. The pulpit was added to the interior furnishings in 1626. After the fire in 1647, Baroque altars appeared and two chapels were added near the tower: the chapel of St Elizabeth the Queen - a baptismal chapel and the chapel of the Nativity. A new tower was erected from 1825 to 1857. After the fires in 1859 and 1923, extensive restorations and renovations were carried out on the interior furnishings.

The sanctum and aisles of this three-nave church are decorated with wall paintings from the 14th -17th centuries. They depict themes and scenes from Christianity and ethics: Creed, Seven Sins and Seven Virtues, the Last Judgement, the Cycle of Months, the Apostles and Prophets, and the Legend of St. Dorothy, as well as Renaissance paintings of secular character. Master Pavol created the main altar in the years 1508 - 1517. Other examples of the workmanship of Master Pavol and his workshop are: the altar of the Nativity from 1510, placed in the back northern chapel of the church; the altars of St. John and of St. Anne- Mattercia, both from 1520, and an equestrian statue of St. George from 1520. The other ten altars, which completed the decoration of St. James' church, were created in different periods and styles: Late-Gothic, Renaissance, Baroque .The altar "Vir Dolorum" which dates back to the years 1476 - 1480, is the oldest of them.

Other rare examples of the church furnishings are: a big collection of the Stations of the Cross placed in an open space of Korvin oratory, which dates from the period around 1500 (from the circle of W. Stwosz); the tombs of Juraj Ulembach, and Thurzo; a set of epitaphs (Buchvald, Hirchler, Urbanovič, Kollmitz etc.); stallae from the first half of the 15th century, a Gothic senators' pew box from 1494; Renaissance pews from the 17th century; a Gothic bronze baptismal font decorated with reliefs, which is situated in the back chapel of the south nave; big standing candlesticks from 1670; a Renaissance organ by J. Hummel from Krakow (1615) and a freely standing stone podium (next to the main altar) from the end of the 15th century.

As passing time takes its toll on the church, extensive reconstruction works are being carried out. Due to the lack of financial means, restoration progresses slowly. The cost of exterior restoration works is covered by the church's own sources, contributions from the town, and grants from abroad. Though it is a triple National Cultural Monument, the state does not financially contribute to the restoration. Some of the interior furnishings were also restored. Restored after 1989 were: the altar of St. Nicholas, the altar of Ss.Peter and Paul and the altar of "Our Lady of the Snows", and the pulpit. In recent days the organ is being restored.

Der größte und wertvollste Schatz von Leutschau ist unzweifelhaft die Pfarrkirche des Hl. Jakobs.

Sie gehört zu den bedeutensten Denkmälern der sakralen Kunst in der Slowakei. Die Kirche und ihre Innenausstattung ist seit 1965 ein nationales Kulturdenkmal. Am bewundersten ist der Hochaltar, der höchste gotische Altar der Welt, er mißt 18,62 m. Der Hersteller ist der bekannte spätgotische Holzschnitzer Meister Paul aus Leutschau (Majster Pavol z Levoče). Im Jahre 1992 wurden in das Nationalkunstgut mit einbezogen das Werk von Ján Szilassy - Monstranzen, die Kelche und andere, für den Gottesdienst dienende Gegenstände, geschmückt mit emaillierten und gehämmerten Verzierungen, ausgelegt mit Edelsteinen und böhmischen Granaten, aus der zweiten Hälfte des 18. Jahrhundert.

Sie steht am Platz der älteren Kirche, von welcher ein Teil der Sakristei aus dem Jahr 1280 erhalten ist. Der dreischiffige Bau wurde bis 1400, zusammen mit der St. Georg Kapelle auf der Nordseite, erbaut. Die nördliche Eintrittshalle ist aus dem Ende des 15. Jh., die südliche, (gegenüber vom Rathaus), aus den Jahren 1480 bis 1490.

Ende des 15. und Anfang des 16. Jahrhundert wurde die Kirche öfters umgebaut. In den Jahren 1530 bis 1540 wurde auf die nördliche Eintrittshalle und auf die St. Georg Kapelle ein Aufbau errichtet und eine Bücherei gebaut. Nach der Übernahme der Kirche durch die Protestanten wurden einige Inneneinrichtungen im Renaissancestil geändert, in den Jahren 1624 bis 1631 die große Orgel und im Jahr 1668 die Schusterempore eingebaut. Im Jahre 1626 wurde die Kanzel gebaut. Nach der Feuersbrunst im Jahre 1647 wurden Barockaltäre und ebenso wurde der Anbau von drei Kapellen beim Turm verwirklicht (Kapelle der Hl. Königin Elisabeth, Taufkapelle und die Geburt Christi Kapelle). In den Jahren 1825 bis 1857 wurde ein neuer Turm aufgestellt und nach den Bränden 1859 und 1923 wurden Reparaturen und Erneuerungen in größeren Maßen durchgeführt.

Die mächtige dreischiffige Kirche ist reich mit Wandmalereien geschmückt. In der Kirche und in den Schiffen stammen sie aus dem 14. bis 17. Jahrhundert. Die Wandmalereien stellen Szenen aus der Glaubens- und Sittenlehre vor - Glaubensbekenntnis, Die sieben Todsünden und die sieben Tugenden, das letzte Gericht und den Mondzyklus, Porträts der Apostel und der Propheten aus dem Alten Testament, die Legende der Hl. Dorothea, ebenso mit Renaissancemalereien weltlichen Charakters. Außer den Wandmalereien ist es sehr wichtig den Hauptaltar des Hl. Jakob in Überlebensgröße, welchen Meister Paul in den Jahren 1508 bis 1517 schuf, zu erwähnen, weiter den Altar "Geburt" aus dem Jahre 1510, aufgestellt in der rückwärtigen Kapelle auf der Nordseite der Kirche, den Altar des Hl. Johannes und den Altar der "Hl. Anna - Meterzie" , beide aus dem Jahr 1520, sowie die Statue des Hl. Georgs aus dem Jahr 1520. Weitere 10 Altäre, die einen reichen Schmuck der Jakobskirche ausmachen, entstanden in verschiedenen Stilepochen - Spätgotik, Renaissance, so wie Barock. Der älteste von ihnen ist der Altar "Vir Dolorum", welcher in den Jahren 1476 bis 1480 entstand.

Zu weiteren Kostbarkeiten dieser Kirche, welche eine Gesamtheit der Einrichtung und der Ausschmückung bilden gehören: große Kreuzigungsgruppe in den freien Raum des "Corvinus Oratorium" aus der Zeit um das Jahr 1500, aus dem Kreis um W. Stwosz, Grabsteine (Georg Ulembach, Thurzo), Epitaphe (Buchwald, Hirchler, Urbanovitz, Kollmitz, u. s. w.), Geschnitzte Holzbänke aus der Hälfte des 15. Jahrhunderts, eine gotische Senatorenbank, datiert aus dem Jahr 1494, Renaissance Kirchenbänke aus dem 17. Jahrhundert, gotisches Bronzetaufbecken, aufgestellt in der rückwärtigen Kapelle des Südschiffes aus dem Ende des 14. Jahrhundert, geschmückt mit Reliefen, große Stehleuchter aus dem Jahr 1670, Renaissanceorgel, welche im Jahre 1615 J. Hummel aus Krakau anfing zu bauen und das freistehende "Steinpastoforium" (neben dem Hauptaltar) aus dem Ende des

15. Jahrhundert. In der Kirche befindet sich eine wertvolle Sammlung liturgischer Gegenstände - gotische Kelche, Ziborien, Barockmonstranzen, von schon erwähnten Goldschmiede Johann Szilassy.

Die Kirche ist vom Zahn der Zeit gezeichnet und deswegen wurde eine äußere Generalreparatur begonnen. Der Großteil wurde aus eigenen Mitteln, sowie aus Beiträgen der Stadt und ausländischen Zuschüssen ausgeführt. Der Staat steuert für die Reparaturen nichts bei, obwohl es um ein dreifaches Nationalkulturdenkmal geht. Es wurden auch Restaurierungsarbeiten an einigen Altären und der Kircheneinrichtung vorgenommen. Nach dem Jahr 1989 wurden drei Altäre restauriert: Altar des Hl. Nikolaus, Altar des Hl. Peter und Paul und der Altar der Jungfrau Schneewunder Jungfrau Maria, die Kanzel und jetzt laufen die Restauratrierungsarbeiten an der Orgel.

Kostol trojloďový, druhý najväčší na Slovensku, s gotickými krížovými klenbami a veľkou svätyňou - to je Chrám sv. Jakuba
St. James' Church - a three- nave church, one of the most extensive churches in Slovakia with a Gothic cross vault and a large sanctuary
Dreischiffige Kirche, eine der größten in der Slowakei, mit gotischen Kreuzgewölbe und großem Heiligtum - das ist die Kirche des Hl. Jakobs

Bohatá hviezdicová klenba kamennej
výzdoby južnej predsiene
Rich lierne vault of stone decoration
of the southern antechapel
Reiches Sterngewölbe der
Steinausschmückung des südlichen
Vorraumes

Z konca 14. storočia je neskorogotická
južná predsieň chrámu
The Late-Gothic southern antechapel
is from the 14th century
Spätgotischer Vorraum der Kirche
stammt aus dem Ende des
14. Jahrhundert

Veľká skupina kalvárie - neskorogotická z čias okolo roku 1500
A big collection of Calvary (the Stations of the Cross). Late-Gothic from the period around 1500
Große spätgotische Kalvariengruppe von der Zeit um 1500

43

Náhrobný kameň Stanislava Thurzu z roku 1625
The tomb of Stanislav Thurzo from 1625
Grabstein des Stanislaus Thurzo aus dem Jahre 1625

Gotická senátorská lavica z roku 1494 postupne doplňovaná
A Gothic senators' pew from 1494 was gradually enlarged
Gotische Senatorenbank aus dem Jahre 1494, stufenweise nachgearbeitet

Renesančná kazateľnica z roku 1626 od levočského rezbára
K. Kollmitza po zreštaurovaní v roku 1997
A Renaissance pulpit from 1626 made by K.Kollmitz, a woodcarver from
Levoča, after restoration in 1997
Renaissancekanzel aus dem Jahre 1626 vom Leutschauer Schnitzer
K. Kollmitz nach der Restaurierung aus dem Jahr 1997

Na severnej stene ľavej bočnej lode nástenná maľba znázorňujúca sedem skutkov milosrdenstva a sedem hlavných hriechov. Cyklus malieb pochádza z roku 1385

The wall paintings on the northern wall of the left isle depict Seven Mercy Deeds and Seven Main Sins. The paintings date back to 1385

An der Nordwand des linken Seitenschiffes Wandmalerei stellt die "Sieben Taten der Barmherzigkeit und sieben Hauptsünden" dar. Der Gemäldezyklus stammt aus dem Jahre 1385

Renesančný organ postavený v roku 1615 - 1623, momentálne v generálnej oprave

A Renaissance organ made in the period from1615 to1623 (at the moment it is being restored)

Renaissanceorgel in den Jahren 1615 - 1623 erbaut, derzeit in der Generalreparatur

Krídlový neskorogotický oltár sv. Alžbety z roku 1492 v južnej kaplnke pri veži. Pred ním umiestnená gotická krstiteľnica z bronzu zhotovená vo zvonolejárskej dielni v Spišskej Novej Vsi z konca 14. storočia

The Late-Gothic wing altar of St. Elizabeth from 1492 is situated in the southern chapel near the tower. A bronze baptismal font, which is placed in front of it, was made in the bell founding workshop in Spišská Nová Ves in the 14th century

Spätgotischer Flügelaltar der Hl. Elisabeth aus dem Jahre 1492 in der Südkapelle beim Turm. Vor ihm das gotische Bronzetaufbecken, in der Glockengießerei in Spišská Nová Ves (d. Zipser Neudorf) ende des 14. Jahrhundert gefertigt

Neskorogotický oltár sv. Kataríny Alexandrijskej zhotovený okolo roku 1460
The Late-Gothic altar of St. Catherine Aleksandrijska was made around the year 1460
Spätgotischer Altar der Hl. Katharina von Alexandria gefertigt um das Jahr 1460

48

Gotický kríž z roku 1360 umiestnený pri obetnom stole v sanktuáriu, ktorého kópia sa nachádza v pracovni sv. Otca Jána Pavla II
This Gothic cross from 1360 is placed by the holy table in the sanctuary. Its copy can be found in the office of the Most Holy Father John Paul II
Gotisches Kreuz aus dem Jahre 1360 untergebracht bei dem Opfertisch im Sanktuarium, deren Kopie sich im Arbeitszimmer des Hl. Vaters Johannes Paul II. befindet

Oltár Vianočnej predely zostavený z viacerých oltárov zo začiatku 15. storočia
The "Christmas altar" consists of more altars from the beginning of the 15th century
Altar der Weihnachtspredella aus mehreren Altären, aus dem Anfang des 15. Jahrhundert,
zusammengesetzt

Neskorogotický krídlový oltár sv. Anny s prvkami renesancie zhotovený po roku 1520
The Late-Gothic altar of St. Anne with Renaissance elements was created after 1520
Spätgotischer Flügelaltar der Hl. Anna mit Renaissanceelementen, gefertigt im Jahre 1520

Neskorogotický krídlový oltár svätých Jánov - detail Jána evanjelistu a Jána almužníka
The Late-Gothic wing altar of the Ss Johns - a detail of John the Baptist and John the Almoner
Spätgotischer Flügelaltar der Heiligen Johannesen - Detail des Johannes Evangelist und des Johannes Almosen

Na zatvorených krídlach maľované tabule so scénami zo života sv. Jána krstiteľa
Closed wings with panel paintings depicting scenes from the life of St. John the Baptist
An den geschlossenen Flügeln der Altäre gemalte Tafeln mit den Darstellungen aus dem Leben des Hl. Johannes
des Täufers

Korvinovský krídlový gotický oltár Vir dolorum z roku 1476 až 1490
The Gothic Korvin wing altar "Vir Dolorum" from the years 1476 - 1490
Corvinus - Flügelaltar "Vir Dolorum" aus den Jahren 1476 bis 1490

Celkový pohľad na neskorogotický oltár sv. Jakuba staršieho z roku 1507 až 1518 z dielne Majstra Pavla z Levoče. Výška oltára je 18,62 m šírka 6,20 m. V arche, ktorého je Madona s dieťaťom, sv. Jakub starší a sv. Ján evanjelista, na bočných pohyblivých krídlach sú výjavy zo života sv. Jakuba a Jána

A general view of the Late-Gothic altar of St. James, the older, from the years 1507 - 1518. This masterpiece was made in the workshop of Master Pavol from Levoča. It is 18,62 m high and 6,20m wide. Three statues take up the altar's centre: the Madonna with Child and statues of the Ss. James the older and John the Evangelist. Reliefs on the side movable wings depict scenes from the lives of Ss. James and John

Gesamtansicht auf den spätgotischen Altar des Hl. Jakob den Älteren aus den Jahren 1507 bis 1518 aus der Werkstadt des Meisters Paul von Leutschau. Die Höhe des Altars ist 18,62 m die Breite 6,20 m, wo sich im Altarbild Madonna mit dem Kind, der Hl. Jakob der Ältere und der Hl. Johann Evangelist befindet, an den beweglichen Seitenflügeln sind Szenen aus dem Leben des Hl. Jakob und des Hl. Johannes

ALTARE SANCTI IACOBI MAIORIS

V arche oltára uprostred je Panna Mária s dieťaťom v nadživotnej veľkosti - 247 cm
The oversized statue of the Virgin Mary with Child (247 cm), is the central statue of the altar
In der Mitte des Altarbildes ist die Jungfrau Maria mit dem Kind in Überlebensgröße - 247 cm

Plastika Poslednej večere z predely hlavného oltára
The sculpture "The Last Supper" from the main altar
Plastik des Letzten Abendmales aus der Predella des Hauptaltars

Na zadnej strane pohyblivých krídel hlavného oltára sú pašiové výjavy z utrpenia a smrti Ježiša Krista
Tabular pictures on the back side of the movable wings of the main altar depict the scenes of Christ's Passion
Auf der hinteren Seite der beweglichen Flügel des Hauptaltars sind Passionsauftritte vom Leid und Tod Jesu Christi

ALTARE
BEAT.MARIÆ VIRG. ad nives

Neskorogotický krídlový oltár sv. Petra a Pavla pod baldachýnmi - zreštaurovaný v roku 1994
The Late-Gothic wing altar of Ss. Peter and Paul under ciborium was restored in 1994
Spätgotischer Flügelaltar des Hl. Peter und Hl. Paul unter den Baldachinen, im Jahre 1994 restauriert

Neskorogotický krídlový oltár Panny Márie Snežnej z roku 1494 zreštaurovaný v roku 1996
The Late-Gothic wing altar of "Our Lady of the Snows" from 1494 was restored in 1996
Spätgotischer Flügelaltar der Schneewunder Jungfrau Maria aus dem Jahre 1494, im Jahre 1996 restauriert

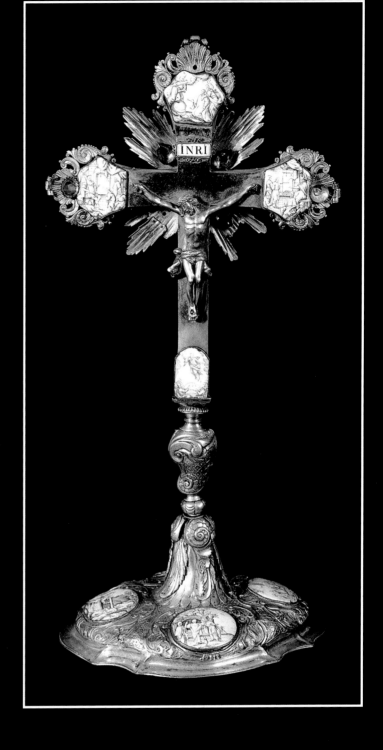

Monštrancia, pacifikál a kalich z pozláteného tepaného striebra s emailovým dekorom - majstrovské barokové práce z rokov 1752 až 1758 od Jána Szilassiho
The monstrance, cross and chalice from gilded wrought silver with enamel decoration, dating to the years 1752 - 1758, Baroque masterpieces made by Ján Szilassi
Monstranz, Pazifikal und der Kelch aus gehämmertem vergoldetem Silber geschmückt mit emaillierten Verzierungen - Meisterstücke aus der Barockzeit vom Ján Szilassi
aus den Jahren 1752 bis 1758

Neskorogotický oltár sv. Mikuláša z roku 1507
The altar of St. Mikuláš (Nicholas) from 1507, Late-Gothic
Spätgotischer Altar des Hl. Nikolaus aus dem Jahre 1507

62

Oltár Narodenia Pána - baroková oltárna architektúra s neskorogotickými plastikami zo začiatku 16. storočia od Majstra Pavla
The altar of the Nativity, Baroque with Late-Gothic sculptures from the beginning of the 16th century by Master Pavol
Altar Geburt des Herrn - barocke Altararchitektur mit spätgotischen Plastiken vom Anfang des 16. Jahrhunderts vom Meister Paul

Madona z oltára Narodenia Pána
Madonna from the altar of the Nativity
Madonna aus dem Altar Christi Geburt

Oltár Narodenia Pána - Jeden z pastierov
The altar of the Nativity - one of the shepherds
Altar Christi Geburt - einer von den Hirten

Socha sv. Juraja z roku 1515 od Majstra Pavla
The statue of St. George from 1515 by Master Pavol
Statue des Hl. Georg aus dem Jahre 1515 vom
Meister Paul

Kalvária - gotické súsošie z druhej polovice
15. storočia
The Calvary - Gothic sculptural group from the second
half of the 15th century
Kalvarienberg - gotische Statuengruppe aus der zweiten
Hälfte des 15. Jahrhundert

Patricijský dom, v 16. storočí v ňom býval Majster Pavol
A patrician house where Master Pavol lived in the 16th century
Patrizierhaus, im 16. Jahrhundert wohnte hier Meister Paul

Plastika apoštola s červenou čiapkou - pravdepodobný autoportrét Majstra Pavla
The sculpture of an apostle with a red cap - very likely the self-portrait of Master Pavol
Plastiken der Aposteln, einer mit roter Kappe - mutmaßliches Autoportrait des Meister Paul

Posledná večera z predely hlavného oltára - víťazná faksimilná kópia z EXPO 67 v Montreali
The Last Supper from the main altar - the winning facsimile copy from EXPO 67 Montreal
Das letzte Abendmal aus der Predella des Hauptaltars - preisgekrönte Faksimile auf der Messe EXPO 67 in Montreal

Zrekonštruované budovy
divadla, hotela Satel a Slovenskej
sporiteľne
Renovated buildings of the
theatre, Hotel Satel
and the Slovak Savings Bank
Die erneuerte Frontseite
des Theaters, des Hotels Satel
und der Slowakischen Sparkassa
(s. Slovenská sporiteľna)

Klasicistická budova evanjelického kostola z 19. storočia
A Classical construction of the Evangelical church
Klassizistisches Gebäude der evangelischen Kirche aus dem 19. Jahrhundert

Budova bývalej školy, neskôr obchodného domu a dnes administratívna budova
The building which first housed a school, then a department store. Today it is an administrative building
Gebäude einer ehemaligen Schule, später eines Kaufhauses, heute Verwaltungsgebäude

Medzi najkrajšie interiéry v divadle patrí scéna s hľadiskom
The scene and the auditorium belong to the most beautiful parts inside the theatre
Zur schönsten Inneneinrichtung im Theater gehört die Bühne mit dem Zuschauerraum

Nádvorie hotela Satel s renesančnou pavlačou na kamenných krakorcoch
The courtyard of Hotel Satel with a Renaissance gallery resting on stone brackets (cantilevers)
Innenhof des Hotels Satel mit der renaissance Pawlatsche auf steinernen Stützbalken

Thurzov dom so zachovalou renesančnou atikou. Fasáda je bohato zdobená sgrafitovou výzdobou a erbami
Thurso's house with a preserved Renaissance attic. Florid facade with sgraffitto and coat of arms
Das Thurzo - Haus mit der gut erhaltenen Renaissanceattika. Die Fassade ist reich mit Kratzmalereien (Sgraffito) und Wappen geschmückt

Veľký a Malý župný dom z parku pri soche Ľudovíta Štúra. Malý župný dom - pôvodné sídlo Spišskej župy. Veľký župný dom bol postavený v 19. storočí ako empírová stavba s kamennými reliéfmi
View of the County Hall and Minor County Hall from a park next to the statue of Ľudovít Štúr. Minor County Hall - the original seat of the Spiš County administration office. The County Hall was built in the 19th century. It is an Empire construction with stone reliefs
Das große und das kleine Gauhaus aus dem Park bei der Ľudovít Štúr Statue. Das kleine Gauhaus - ursprünglich Sitz des Zipsergaues. Das große Gauhaus wurde in 19. Jahrhundert erbaut im Empirestil mit Steinreliefs

Fontána v parku a budova bývalej kníhtlačiarne, dnes hotel Arkáda na námestí Majstra Pavla
A fountain in the park and the building of the former printing house, nowadays the Hotel Arkáda
Fontaine im Park und das Gebäude der ehemaligen Druckerei, heute Hotel Arkáda

Centrum Levoče z východu
The view of the centre of Levoča from the east
Blick auf Leutschau von Osten

Nový kláštor minoritov a kostol sv. Ducha

Veľkosť a krása farského kostola sv. Jakuba, ako aj starého minoritského kostola, dnes s katolíckym gymnáziom, akoby zatieňovali barokový kostolík na Košickej ulici, na mieste ktorého kedysi stál kostol z roku 1412. Išlo o gotický kostol, ku ktorému bola pribudovaná budova špitálu - nemocnice.

Za reformácie okolo roku 1570 prešiel kostol do užívania evanjelickej cirkvi a od roku 1684 patril reholi minoritov, ktorá sa po rokoch vrátila späť do Levoče. Jej pôvodný kostol a kláštor už užívala rehoľa jezuitov. Levoču postihlo viacero nebezpečných požiarov a pred požiarom nebol uchránený ani kostol. 22. augusta 1747 vypukol v tejto časti požiar a jeho následkom zanikla pôvodná podoba tohto kostola. Roku 1748 sa začala výstavba nového kostola, ktorá bola dokončená roku 1753.

Dnešný barokový kostol sv. Ducha je pomerne vysoká jednoloďová jednoduchá stavba začlenená do radovej uličnej stavby. Mimoriadne hodnotný je interiér tohto barokového kostola z druhej polovice 18. storočia, doplnený celoplošnými freskami od levočského maliara Ondreja Ignáca Trtinu. Výzdoba hlavného oltára zostala neukončená z dôvodu zrušenia reholí cisárom Jozefom II. v roku 1787. V prácach na oltári sa pokračovalo až začiatkom 19. storočia, keď bolo dokončené tabernákulum pred hlavným oltárom a namaľovaný hlavný oltárny obraz známym levočským maliarom Jozefom Czauczikom v roku 1811 s výjavom Zoslania Ducha Svätého na apoštolov a Pannu Máriu. Architektúra hlavného oltára v nadstavci však zostala nedokončená. K výzdobe kostola a zariadenia interiéru patria dve bočné oltáre sv. Františka Asisského, zakladateľa rehole františkánov na ľavej strane a sv. Antóna Paduánskeho na pravej strane víťazného oblúka. Interiér dopĺňajú ďalšie štyri oltáre, kazateľnica, tiež barokové lavice z dielne stolára Jána Mülmana.

Budovy kláštora vznikli súčasne s budovou kostola. Kláštor užívali pre potrebu rehole, ale aj ako internát pre chlapcov, ktorí študovali v Levoči.

V prednom trakte kláštora bývajú minoriti a využívajú kláštor, ktorý postupne opravujú pre potreby rehole. Zaviedli postulát - prípravu budúcich rehoľných kňazov či rehoľných bratov.

Kostol spolu s kláštorom je významnou pamiatkou neskorobarokového staviteľstva v Levoči i na celom Slovensku.

Barokový kostol sv. Ducha a Kláštor minoritov pri Košickej bráne postavený v roku 1748 - 1755
The Baroque church of the Holy Spirit and Monastery of the Minorites next to the Košice Gatehouse was built in the years 1748 - 1755
Barockkirche des Hl. Geistes und das Minoritenkloster beim Kaschauer Tor aus den Jahren 1749 bis 1755

Stropná výzdoba barokového františkánskeho kostola sv. Ducha z rokov 1758 - 1763 od prešovského majstra O. I. Trtinu
The ceiling decoration of the Baroque Franciscan church of the Holy Spirit from the years 1758 - 1763 by master O.I. Trtina from Prešov
Deckenausschmückung der barocken Franziskanerkirche des Hl. Geistes aus den Jahren 1758 bis 1763 vom Preschauer Meister O. I. Trtina

New Monastery of the Minorites and the Church of the Holy Spirit

The greatness and beauty of the parish church of St. James and the former Minorites church, today combined with the Catholic Grammar school, as if overshadowed a Baroque church situated in Košická street, on the site of the Gothic church from 1412, to which a hospital building was joined later.

During the Reformation around the year 1570, the church was passed to the Evangelics and from 1684 belonged to the Order of Minorites, who returned to Levoča to find their former monastery being used by the Jesuits. There had been several devastating fires in Levoča and this church also suffered from a fire on 22. 8. 1747 which destroyed its original appearance. In 1748 construction began on a new church, which was completed in 1753.

The present day Baroque church of the Holy Spirit is a relatively tall, one-nave simple structure, which blends in with the facades of the row houses lining the street. Its interior is of great value, especially the frescoes by Ondrej Ignác Trtina, a painter from Levoča. As a consequence of the dissolution of orders, proclaimed by the emperor Joseph II in 1787, the main altar was not completed. Work on the altar did not continue until later in the 19th century when the tabernacle in front of the main altar was completed. In 1811 the well-known painter Jozef Czauczik of Levoča created the main altar picture which depicts the Descent of the Holy Spirit on the Apostles and Mary. The architecture of the top parts of the altar remains unfinished. The interior decoration of the church also includes two side altars: to the left of the Victorious Arch is the altar of St. Francis Assisi, founder of the Order of the Franciscans, to the right, the altar of St. Antonius Paduan. This unique impression of the church's interior is complemented by four other altars, as well as a pulpit and original Baroque pews from the workshop of Ján Mulman, a joiner from Levoča.

The monastery buildings were erected at the same time as the church. The monastery served the needs of the order but also as a residence hall the boys who studied in Levoča.

The front wing is inhabited by the Minorites who are trying to revive its original function. The monastery is gradually being reconstructed to serve the needs of the order. The Minorites introduced postulate - preparation of future priest and monks.

The entire complex of church and contiguous monastery rank among the most outstanding monuments of late Baroque style in the town, as well as in all of Slovakia.

Das neue Minoritenkloster und die Kirche des Hl. Geist

Die Größe und Schönheit der Pfarrkirche zum Hl. Jakob, sowie die alte Minoritenkirche, heute mit dem katholischen Gymnasium erscheinen, wie wen sie die Barockkirche in der Košická ulica (d: Kaschauerstraße) in den Schatten stellten, am Ort wo einmal die Kirche aus dem Jahr 1412 stand. Es war eine gotische Kirche, zu welcher ein Spital - Krankenhaus angebaut war.

Zur Zeit der Reformation, um das Jahr 1570, ging die Kirche in die Nutzung der Lutheraner und seit 1684 gehörte sie dem Minoritenorden, welcher nach vielen Jahren nach Leutschau zurück kam. Ihre ursprüngliche Kirche und Kloster benützte schon der Jesuitenorden. Leutschau wurde von mehreren gefährlichen Bränden betroffen und vom Feuer war auch diese Kirche nicht geschützt. Am 22. 8. 1747 brach in diesem Teil das Feuer aus und als Folge dessen wurde die ursprüngliche Gestalt der Kirche zerstört. Im Jahre 1748 begann der Bau der neuen Kirche, welche im Jahre 1753 beendet wurde.

Die heutige Barockkirche vzum Hl. Geist ist ein verhältnismäßig hoher einschiffiger Bau eingegliedert in den Reihenbau der Straße. Außergewöhnlich wertvoll ist das Innere dieser Barockkirche aus der zweiten Hälfte des 18. Jahrhundert ergänzt mit ganzflächigen Fresken vom Leutschauer Maler Andreas Ignaz Trtina. Die Ausschmückung des Hauptaltares blieb unbeendet, da die Orden von Kaiser Josef II. im Jahr 1787 aufgelöst wurden. Die Arbeit am Altar wurde erst Anfang des 19. Jahrhundert weitergeführt als das Tabernakel vor dem Hauptaltar beendet war und vom bekannten Leutschauer Maler Josef Czauczik im Jahre 1811 das große Altarbild vor der Herabkunft des Hl. Geistes über die Aposteln und die Jungfrau Maria gemalt wurde. Die Architektur des Hauptaltares im Überbau blieb aber unbeendet. Zum Schmuck der Kirche und zur Inneneinrichtung gehören zwei Seitenaltäre des Hl. Franziskus von Assisi, Begründer des Franziskanerordens auf der linken Seite und des Hl. Anton von Padua auf der rechten Seite des Triumphbogens. Das Innere ergänzen weitere vier Altäre, die Kanzel und Barockbänke vom Tischler Johann Neumann.

Das Gebäude des Klosters entstand gleichzeitig mit der Kirche. Das Kloster wurde für die Bedürfnisse des Ordens benützt, aber auch als Internat für Knaben, welche in Leutschau studierten.

Die Minoriten haben ein Postulat eingerichtet - die Vorbereitung zukünftiger Ordenspriester bzw. Ordensbrüder.

Die Kirche zusammen mit dem Kloster ist ein wichtiges Denkmal spätbarocker Baukunst nicht nur in Leutschau, aber auch in der ganzen Slowakei.

Barokový oltár s obrazmi od maliara J. Czauczika dominujú v prekrásnom interiéri františkánskeho kostola sv. Ducha
The Baroque altar with pictures by J. Czauczik dominates in the beautiful interior of the Franciscan church of the Holy spirit
Barockaltar mit Gemälden von J. Czauczik dominieren im wunderschönen Inneren der Franziskanerkirche des Hl. Geistes

Košická ulica z priechodu Košickej brány
Košická Street viewed from the Košice Gatehouse
Blick in die Kaschauerstraße (s. Košická ulica) aus der Unterführung des Kaschauer Tores

Levoča je miestom stretnutí mnohých významných osobností. Svedectvom bol summit 11 - tich stredoeurópskych prezidentov v januári 1998
Levoča - a meeting place of many important people. Summit of the presidents of 11 central European countries in January 1998
Leutschau ist ein Treffpunkt bedeutendster Persönlichkeiten. Bemerkenswert war das Präsidententreffen der elf Zentraleuropäischen Länder im Jänner 1998

Bazilika menšia - kostol Navštívenia Panny Márie postavený nad mestom na Mariánskej hore v rokoch 1906 - 1914
Basilica Minor - the Church of the Visitation of the Virgin Mary located over the town on Mariánska hora - hill was built in the years 1906 - 1914
Basilika Minor - Kirche der Heimsuchung der Jungfrau Maria erbaut über der Stadt am Marienberg in den Jahren 1906 bis 1914

Bazilika navštívenia Panny Márie v Levoči

O začiatkoch Levoče i Mariánskej Hory nevieme nič určitého, pretože mestský archív zničil požiar v roku 1550. Podľa tradície Mariánska Hora vstúpila do dejín už v roku 1247. Tu pravdepodobne stála kaplnka pri špitáli pre malomocných. Na tom mieste sa ukryli ľudia pred Tatármi a na pamiatku svojej záchrany postavili na kopci kaplnku, ku ktorej konali vo výročný deň záchrany ďakovné procesie, o čom píše kronikár Lániy.

Roku 1470 bola kaplnka zväčšená a čiastočne prestavaná v gotickom štýle. Roku 1766 na mieste gotického kostolíka (kaplnky) bol postavený barokový kostol ako tretí v poradí. Barokový kostolík časom nevyhovoval veľkému prívalu pútnikov a preto vtedajší levočský farár Celestín Kompanyik pristúpil k stavbe nového kostola v dnešnej podobe v neogotickom štýle. S výstavbou sa začalo roku 1906 s veľkými problémami. Nebolo prístupovej cesty, vody, zápasilo sa s nedostatkom finančných prostriedkov. A navyše došlo k zrúteniu veže temer pred jej dokončením. Okrem toho treba spomenúť, že to bolo počas prvej svetovej vojny.

Slávnostná posviacka chrámu sa konala 2. júla 1922 za účasti veľkého počtu pútnikov. Posviacku vykonal Mons. Ján Vojtaššák, spišský biskup za prítomnosti mnohých duchovných.

Najcennejšia v tomto kostole je milostivá socha Panny Márie, umiestnená na hlavnom oltári, ktorá pochádza z konca 15. storočia od neznámeho umelca.

S týmto pútnickým miestom mal veľkorysé plány levočský farár kanonik Jozef Vojtas - vybudovanie prístupovej cesty, dovedenie vody, postavenie kláštora s exercičným domom, útulok pre pútnikov a podobne. Žiaľ zostalo iba pri zámeroch. Nepodarilo sa ich realizovať najprv z finančných dôvodov a potom zo situácie, ktorá nastala. Vypukla druhá svetová vojna a krátko po nej bol nastolený tvrdý totalitný režim, ktorý s jednou prestávkou trval až do roku 1989 a dostal cirkev i toto miesto do izolácie. Počas rokov 1968 - 1969 sa podarilo vymaľovať kostol z vonku i z vnútra vtedajšiemu dekanovi - farárovi Štefanovi Klubertovi.

Napriek veľkému tlaku na cirkev i púte (a výnimkou nebola ani Mariánska Hora) podarilo sa v tomto období čosi nemožné. Svätý Otec Ján Pavol II. na žiadosť vtedajšieho administrátora spišskej diecézy Štefana Garaja vymenoval tento pútnický chrám za baziliku minor (baziliku menšiu).

Až po roku 1989 - po páde tvrdého režimu sa púte na toto miesto veľmi rozšírili. Napríklad v roku 1990 bolo na púti prítomných 12 otcov biskupov a okolo 400 000 veriacich. Samozrejme, že každoročný nárast pútnikov vyžadoval aj patričné vybavenie služieb. Realizovala sa výstavba komplexných inžinierskych sietí - vybudovanie dvoch ciest s osvetlením, elektrický prúd s telefónom, vodovod s kanalizáciou a sociálnymi zariadeniami, výstavba pútnického a exercičného domu v blízkosti kostola. Postavil sa vonkajší oltár a samozrejme sa pristúpilo ku komplexnej vonkajšej oprave i renovácii vnútorného zariadenia kostola. Spomenieme opravu a prekrytie strechy kostola, reštaurovanie štyroch vytrážových okien, generálnu opravu organa, prestavbu sanktuária, zadováženie kríža, krížovej cesty, erbu a kamennej tabule s textom pápežskej buly ustanovenia baziliky menšej. Napokon sa pristúpilo k celkovej oprave exteriéru kostola i veže s výmenou všetkých dverí baziliky.

Uvedené práce sa realizovali z milodarov veriacich temer z celého sveta, cirkevných inštitúcií, ale aj z finančných príspevkov vlády Jána Čarnogurského, najmä z Ministerstva životného prostredia Slovenskej republiky, riaditeľa Fondu životného prostredia Ing. Júliusa Hetharšiho a usilovných rúk ľudí organizovaných vo firmách, ale predovšetkým vo veľkej miere ochotných dobrovoľníkov z levočskej farnosti.

3. júla 1995 toto miesto poctil svojou návštevou mariánsky ctiteľ a pútnik - sv. Otec Ján Pavol II. Na tejto púti so sv. Otcom sa zúčastnil doposiaľ rekordný počet pútnikov okolo 650 000.

Sv. Otec naplnený veľkou radosťou pri tomto stretnutí s takým veľkým počtom veriacich povedal okrem iného aj tieto slová: "...Bratia a sestry, tu ste boli vždy silní a to je Božia sila, proti ktorej ľudia nič nezmôžu. Vďaka tejto viere, vďaka tomuto presvedčeniu ste tým, čím ste. To je základ vašej identity a vašej vytrvalosti ..."

Pamätník na túto veľkú udalosť, na toto veľké stretnutie s pápežom je umiestnený na bazilike pri jej vstupe.

Táto svätyňa priťahuje ľudí ako magnet aj vo chvíľach radosti, aj vo chvíľach skúšky. Státisíce ľudí na tomto mieste našlo zmysel svojho života, optimizmus i stratenú nádej.

František Dlugoš

Basilica of the Visitation of the Blessed Virgin Mary.

Since the municipal archive was destroyed by fire in 1550, no official written record about the initial period of the town of Levoča nor about Mariánska hora (hill) have been preserved. According to tradition, Mariánska hora entered the town's history in 1247. Probably this was the site where a chapel stood next to a hospital for lepers. This was also the place where people sought shelter from the Tartars. In remembrance of their rescue, a chapel was erected on the hill. According to Lániy, a chronicler, annual processions of thanks were held there on the anniversary day.

In 1470 the chapel was enlarged and partly rebuilt in the Gothic style. A Baroque church was built on this site in 1766, which was the third in sequence. But because the Baroque church soon failed to meet the needs of the rising number of pilgrims, Levoča priest Celestín Kompanyik initiated the construction of a new church in the neo-Gothic style - as we know it at present. The construction work started in 1906 but ran into some serious obstacles. There was neither an access road nor water, and from the beginning there was already a lack of financial sources. In addition to these the church tower fell down just before it was completed. It must be mentioned that this was during World War I.

Dedication of the church took place on July 2, 1922 in the presence of great number of pilgrims, with the participation of Mons. Ján Vojtaššák, a Spiš bishop who carried out the dedication, and a large attendance of clergymen.

The most precious article in the church's interior is the statue of the Blessed Virgin Mary on the main altar, the work of an unknown master dating from the 15th century.

Jozef Vojtas, a priest canon from Levoča, had grandiose plans for the pilgrimage place: construction of an access road, conduction of water, and construction of monastery with a pilgrim house etc. Unfortunately his plans failed for two reasons, at first the lack of money and then the existing political situation. After World War II a totalitarian regime lasted (with one short break) until 1989. During this period the Church found itself in isolation. In the period 1968 - 1969 Štefan Kluber, a dean-priest of the time, managed to paint the interior and exterior of the church.

In spite of the fact that pilgrimages were almost prohibited in this period, at the request of the then administrator of the Spiš diocese, Štefan Garaj, Pope John Paul II appointed this pilgrim church a Basilica Minor, which considering the situation of that period, seems unbelievable.

Since 1989, when the totalitarian regime came to its end, the number of pilgrims travelling to this pilgrim place has increased rapidly. For instance during the 1990 pilgrimage 12 bishops and about 40,000 believers journeyed there. Of course it is now necessary to meet the needs of the increasing number of pilgrims. Thus construction of on a whole complex of underground services was performed, including the construction of two access roads with lighting, electricity, telephone, drainage, etc. A pilgrim house was built by the church, a new altar was raised in front of the Basilica, and the renovation of the interior furnishings started, too. Reconstruction of the roof of the church should be mentioned as well as the restoration of four church stained glass windows, the general restoration of the organ, and reconstruction of sanctuary. A cross for The Stations of the Cross was obtained, as well as the coat of arms and a stone sheet with the text of the Pope's bull of appointment of the Basilica manor. The exterior of the church and the tower was restored, too and all doors of the basilica have been replaced.

The above mentioned works could be carried out only with gratitude to charity gifts from believers all over the world, and also with thanks to the contributions from church institutions. The government headed by Ján Čarnogurský also provided financial support,especially the Ministry of Environment. Contributions came also from Július Hetharši, the director of the environmental funding and from the different firms but predominantly from willing volunteers - parishioners from Levoča.

On July 3, 1995 Pope John Paul II, the greatest Marian admirer and pilgrim, did our believers great honour when he visited Marianska hora. About 650,000 pilgrims were at the pilgrimage with the Most Holy Father, largest recorded attendance in the history of pilgrimages to this place. He was pleased that so many believers came and proclaimed the following words: "... Brothers and sisters, here you have always been strong, and it is God's strength which people are hopeless to defy. Thanks to that belief, and thanks to that conviction, you are now what you are. Here is the guarantee of your liberty and your perseverance ..."

A monument commemorating this unforgettable event of the great meeting with the Pope has been placed on the basilica near the entrance.

This sanctuary attracts people like a magnet in both moments of joy and during the sorrows of life; when people are happy, but also in times when they must endure terrible ordeals. This is the place where hundreds of thousands of people have found peace of soul, meaning to their lives, optimism and regained hope.

František Dlugoš

Die Basilika der Heimsuchung der Jungfrau Maria in Leutschau

Von den Anfängen von Leutschau und den Berg Mariánska hora (d: Marienberg) wissen wir nichts genaues. da das Feuer im Jahr 1550 das Stadtarchiv vernichtete. Nach der Tradition trat der Marienberg schon im Jahr 1247 in die Geschichte. Hier stand höchstwahrscheinlich eine Kapelle beim Spital für Aussätzige. Am diesen Ort versteckten sich die Einwohner vor den Tataren und zum Andenken auf ihre Rettung bauten sie am Berg eine Kapelle, zu welcher sie am Jahrestag ihrer Rettung eine Dankwallfahrt machten, so schrieb der Chroniker Lániy.

Im Jahr 1470 wurde die Kapelle vergrößert und teilweise im gotischen Stil umgebaut. Im Jahr 1766 wurde an Stelle des gotischen Kirchleins eine Barockkirche, als die Dritte in der Reihe, gebaut. Die Barockkirche genügte mit der Zeit den großen Ansturm der Pilger nicht und deshalb ging der damalige Leutschauer Pfarrer Cölestin Kompanyik, an den Bau einer neuen Kirche mit heutigen Aussehen im neugotischen Stil heran.

Der Bau fing im Jahr 1906 mit großen Problemen an. Es gab keine Zufahrtsstraßen, kein Wasser, man kämpfte mit finanziellen Schwierigkeiten. Zum Schluß stürzte fast vor der Beendung der Turm ein. Außerdem muß man erinnern, es war während der Zeit des ersten Weltkrieges.

Die feierliche Einweihung der Kirche fand am 2. Juli 1922, in Anwesenheit zahlreicher Pilger statt. Die Einweihung vollführte Mons. Ján Vojtaššák, Zipser Bischof, in Anwesenheit vieler Geistlichen.

Das wertvollste in dieser Kirche ist die am Hauptaltar aufgestellte Gnadenstatue der Jungfrau Maria, welche von einem unbekannten Künstler aus dem 15. Jahrhundert stammt.

Mit diesen Wallfahrtsort hat der Leutschauer Pfarrer Kanonik Josef Vojtáš große Pläne - den Ausbau der Zufahrtswege, Wasserzuleitung, Bau eines Klosters mit einen Exerzitenhaus, Unterstand für Pilger und anderes. Leider blieb es nur beim Plan. Man konnte es zuerst aus finanziellen Gründen nicht realisieren und dann aus der Lage, die folgte. Es brach der 2. Weltkrieg aus und kurz danach folgte der Totalismus der mit einer Pause bis zum Jahr 1989 dauerte und brachte die Religion und auch diesen Ort in die Isolation. Im Laufe der Jahren 1968 und 1969 gelang es dem damaligen Dekan - Pfarrer Stefan Klubert die Kirche von innen und außen malen zu lassen.

Trotz des großen Drucks auf die Kirche und Wahlfahrten (auch Marienberg war keine Ausnahme), gelang in dieser Zeit etwas fast unmögliches. Der Hl. Vater Johann Paul II. ernannte, auf das Gesuch des damaligen Verwalters der Zipser Diözese Stefan Garaj, die Pilgerkirche zur Basilika minor (kleinere Basilika).

Erst nach dem Jahr 1989 - nach dem Fall des harten totalitären Regimes haben sich die Wallfahrten auf diesen Ort sehr vermehrt; z. B. waren im Jahr 1990 an der Wallfahrt 12 Bischöfe und rund 400 000 Gläubige anwesend. Natürlich verlangt das jährliche Anwachsen des Pilgerstroms auch ein entsprechendes Anwachsen der Dienstleistungen. Es wurde der komplette Ausbau der technischen Infrastruktur (zwei Wege mit Beleuchtung, Elektroanschluß, Telefon, Wasserleitung mit Abwasseranschluß u. a.), der Aufbau eines Pilger und Exerzitenhauses in der Nähe der Kirche realisiert. Es wurde ein Außenaltar aufgestellt und selbstverständlich fing man mit der kompletten äußeren Reparatur der Kirche und mit der Renovierung der inneren Kircheneinrichtung an. Zur Erwähnung gehört auch die Reparatur und die Deckung des Kirchendaches, die Reparatur der vier farbiger Fensterscheiben mit Bleifassung der s. g. Vitragefenstern, die Generalreparatur der Orgel, den Umbau des Sanktuarium, die Beschaffung des Kreuzes, des Kreuzweges, des Wappens und der Steintafel mit den Text der päpstlichen Bulle über die Ernennung zur Basilika Minor. Zum Schluß machte man die Außenreparaturen der Kirche und des Turmes und den Austausch aller Türen der Basilika.

Die angegeben Arbeiten wurden finanziert aus Spenden von Gläubigen, nahezu aus der ganzen Welt, kirchlichen Einrichtungen, aber auch durch Unterstützung der Regierung unter Ján Čarnogurský, besonders des Umweltschutzministeriums der Slowakischen Republik, des Direktors des Fonds für Umweltschutz Herrn Ing. Július Hetharši und der fleißigen Hände von Menschen, organisiert in Firmen, aber vor allen die in große Zahl von gefälligen Freiwilligen aus der Leutschauer Pfarrei.

Den 3. Juli 1995 ehrte diesen Platz mit seiner Anwesenheit der höchste Marienvereher und Pilger - der Hl. Vater Johann Paul II. Auf dieser Wallfahrt mit dem Hl. Vater beteiligten, sich für diese Zeit, eine Rekordzahl von 650 000 Pilgern. Der Hl. Vater erfüllt von großer Freude bei dieser Begegnung mit so einer großen Zahl von Gläubigen sagte unter anderem auch diese Worte: "... Brüder und Schwester, da wart Ihr immer stark und es ist die Kraft Gottes, gegen welche der Mensch nichts kann. Dank dieses Glaubens, dank dieser Überzeugung sind Sie die, welche Sie sind. Das ist der Grund Euer Identität und Euer Standhaftigkeit ..."

Denkmal über dieses große Geschehnis, über das große Treffen mit dem Papst ist an der Basilika beim Eingang untergebracht.

Dieses Heiligtum zieht die Menschen wie ein Magnet sowohl in freudigen Momenten, auch in Zeiten der Prüfung an. Hunderttausend von Menschen fanden an diesen Ort den Sinn ihres Lebens, Optimismus und verlorene Hoffnung.

František Dlugoš

Rozeta - jedna z troch
vytrážových okien
Rosette (rose) - one of three
stained windows
Rosette - eines von den drei
Fenster mit farbigen Glas

Pohľad do interiéru kostola
Navštívenia Panny Márie
The view into the interior of the
Church of the Visitation of the
Virgin Mary
Anblick in das Innere der Kirche
der Heimsuchung der Jungfrau
Maria

Neogotická plastika Milostivej Panny Márie (okolo roku 1500)
The neo-Gothic sculpture of the Blessed Virgin Mary (around the year 1500)
Neugotische Plastik der Gnadensvollen Jungfrau Maria (um das Jahr 1500)

Pútnici dňa 3. júla 1995 na
Mariánskej hore
Pilgrims on Mariánska hora
hill, 3 July, 1995
Die Pilger am Marienberg
den 3. Juli 1995

Sv. Otec Ján Pavol II. pri
slávení sv. omše v tento
pamätný deň
The Most Holy Father John
Paul II solemnising mass on
this memorable day
Der Heilige Vater Johannes
Paul II. bei der Feier der Hl.
Messe an diesen Ehrentag

Privítanie sv. Otca spišskými biskupmi a miestnym farárom
Welcome ceremony for Most Holy father by Spiš bishops
and a local priest
Begrüßung des Hl. Vaters von den Zipser Bischöfen und
den örtlichen Pfarrer

Hlavný vstup do baziliky s pamätnou tabuľou návštevy
sv. Otca 3. júla 1995
The main entrance of the basilica with a memorial board
commemorating the visit of the Most Holy Father on 3 July,
1995
Der Haupteingang in die Basilika mit der Gedenktafel über
den Besuch des Heiligen Vaters den 3. Juli 1995

Levočské pohorie, panoráma Levočskej kotliny od obce Úloža. V pozadí Slovenské Rudohorie so zasneženou Kráľovou hoľou

Levoča mountains - a panoramic view of Levoča hollow from the village of Úloža. In the background are the Slovak Ore Mountains with Kráľová Hoľa (hill) covered with snow

Das Levočské pohorie (d. Leutschauer Gebirge), Panorama des Leutschauer Beckens von der Ortschaft Úloža (d. Köppern). Im Hintergrund das Slovenské Rudohorie (d. Slowakisches Erzgebirge) mit dem beschneiten Gipfel Kráľová Hoľa (d. Königsberg)

V obciach Torysky, Úloža, Nižné a Vyšné Repaše, severne od
Levoče, žijú ľudia s bohatou ľudovou tradíciou. Zvyky
a odievanie týchto obyvateľov pôsobia silným
emotívnym dojmom, najmä v čase veľkonočných sviatkov

In the villages of Torysky, Úloža, Nižné and Vyšné Repaše, to the
north of Levoča, people preserved rich folk traditions.
Their customs and costumes are very impressive especially during
the Easter season

In den Gemeinden Torysky (d. Siebenbrunn), Úloža (Köppern),
Nižné und Vyšné Repaše (d. Ober- und Unterrepsch), nördlich
von Leutschau, leben Leute mit reicher Volkstradition. Die Bräuche
und Trachten dieser Leute haben eine starke emotive
Wirkung, besonders in der Zeit der Osterfeiertagen

Severne od Levoče začína malebná lesná scenéria Levočskej doliny s priehradou, bývalými Levočskými kúpeľmi, autokempingom Kováčova vila až po kultúrnu pamiatku Kohlwald

To the north of Levoča is situated a picturesque forest scene of Levočská dolina - valley with a dam, former Levoča baths, the campsite Kováčová villa and the cultural monument Kohlwald

Nördlich von Leutschau fängt die malerische Szenerie des Leutschauer Gebirges an mit der Talsperre, ehemalige Levočské kúpele (d. Leutschauer Bad), Campingplatz Kováčová vila bis zum Denkmal Kohlwald

Rázovitá obec Závada v závere Levočskej doliny so zachovalou ľudovou architektúrou je aj strediskom zimných športov

An extraordinary village Závada with well preserved folk architecture, which is situated in Levoča valley, is also a winter sport resort

Eigenartige Gemeinde Závada (d. Tscharneblod) am Ende der Levočská dolina (d. Leutschauer Tal) mit erhaltener Volksarchitektur. Sie ist auch ein Zentrum der Wintersporte

Rozlúčka s historickou Levočou v zimnom opojení
Goodbye to historical Levoča in winter glow
Abschied von der altertümlichen Stadt Leutschau im Winterkleid

LEVOČA

KLENOTNICA PAMIATOK NA SPIŠI

© Vydala Agentúra LUBAFOTOPRES Spišská Nová Ves ☎ 0965-22730

© fotografie, scénar a grafická úprava Ladislav Jiroušek

© fotografia str. 78 (dole) Peter Brenkus

© fotografie str. 86 (dole), str. 87 (hore) Arturo Mari

© text Mgr. Jarmila Marcinková, použitá literatúra
  1. Súpis pamiatok na Slovensku, II. zväzok - Slovenský ústav pamiatkovej starostlivosti a ochrany prírody, Obzor, Bratislava 1968
  2. Dejiny Levoče I. - Michal Suchý Východoslovenské vydavateľstvo Košice, 1974

© text Mons. Th. Lic František Dlugoš, použitá literatúra
  1. Hernic I. a kol.: Súpis Pamiatok na Slovensku zv. 2. Bratislava 1968.
  2. Husovská Ľ. a kol.: Slovensko. Bratislava 1994.
  3. Chalupecký I.: Chrám sv. Jakuba v Levoči. Martin 1991; Mariánska hora v Levoči. Bratislava 1991.
  4. Jurík R.: Mariánska hora v Levoči. Levoča 1948.
  5. Schematizmus almae Dioecesis Scepusiensis pro anno 1909. 1916. Szepes Váralja 1909. 1916.
  6. Still P.: História domus - Chronicon Ecclesiae s. Jacobi, zač. XVIII. st.
  7. Straka J.: Mariánske milostivé miesto Hora Levočská. Krátky opis a dejepis. Košice 1899.
  8. Špirko J.: Umelecko-historické pamiatky na Spiši. Spišská Kapitula 1936.

Preklady - angličtina - Mgr. Justína Kurillová
          nemčina   - Ing. Edgar Baradlai

Mapa na zadnej predsádke - Mgr. Katarína Drahomirecká, Miroslav Kostelník

Korektúry - Ľubica Jiroušková, Gabriela Rerková

Technická spolupráca - Peter Jiroušek, Anna Venglarčíková, Otto Venglarčík,
          Štátny oblastný archív Levoča

Scan, sadzba a lito - ARKUS s.r.o. Prešov

Tlač - POLYGRAF PRINT s.r.o. Prešov

ISBN: 80-967556-2-5

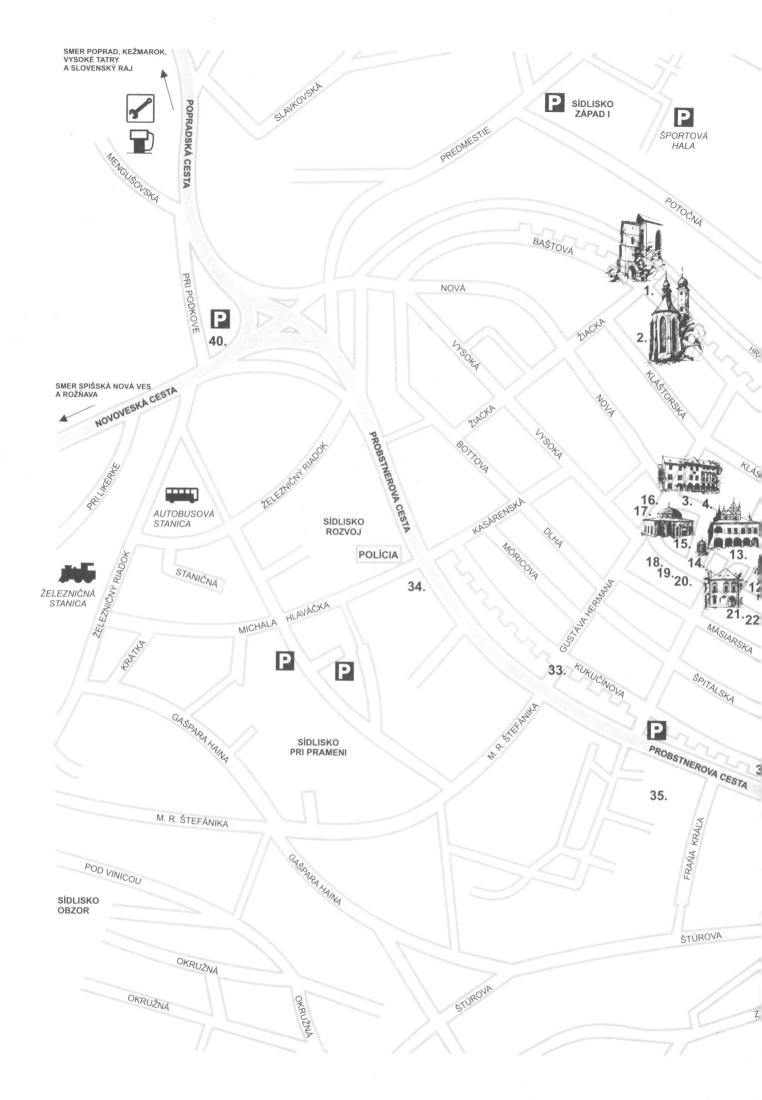

SMER POPRAD, KEŽMAROK,
VYSOKÉ TATRY
A SLOVENSKÝ RAJ

POPRADSKÁ CESTA

MENGUŠOVSKÁ

SLAVKOVSKÁ

PREDMESTIE

P SÍDLISKO
ZÁPAD I

P ŠPORTOVÁ
HALA

POTOČNÁ

BAŠTOVÁ

NOVÁ

PRI PODKOVE

P
40.

1.

2.

ŽIACKA

KLÁŠTORSKÁ

HR

VYSOKÁ

NOVÁ

SMER SPIŠSKÁ NOVÁ VES
A ROŽŇAVA

NOVOVESKÁ CESTA

ŽIACKA

VYSOKÁ

PRI LIKÉRKE

ŽELEZNIČNÝ RIADOK

PROBSTNEROVA CESTA

BOTTOVA

KLÁŠ

AUTOBUSOVÁ
STANICA

SÍDLISKO
ROZVOJ

16.
17.

3.   4.

KASÁRENSKÁ

DLHÁ

15.

13.

POLÍCIA

18.
19. 20.

14.

ŽELEZNIČNÁ
STANICA

ŽELEZNIČNÝ RIADOK

STANIČNÁ

MÓRICOVA

34.

12

KRÁTKA

MICHALA   HLAVÁČKA

P

P

GUSTÁVA HERMANA

21. 22.

MÄSIARSKA

ŠPITÁLSKA

33.   KUKUČÍNOVA

GAŠPARA HAINA

SÍDLISKO
PRI PRAMENI

M. R. ŠTEFÁNIKA

P

PROBSTNEROVA CESTA

3

M. R. ŠTEFÁNIKA

GAŠPARA HAINA

35.

FRAŇA KRÁĽA

POD VINICOU

SÍDLISKO
OBZOR

ŠTÚROVA

OKRUŽNÁ

OKRUŽNÁ

OKRUŽNÁ

ŠTÚROVA

Z